PLOMO EN

Ander Izagirre

QUINTA EDICIÓN: febrero de 2013
TÍTULO ORIGINAL: *Plomo en los bolsillos*

© Ander Izagirre, 2012
© Libros del K.O., S.L.L., 2012
C/ Príncipe de Vergara 261
28016 Madrid
hola@librosdelko.com
www.librosdelko.com

ISBN: 978-84-940101-7-0
DEPÓSITO LEGAL: M-16163-2012
CÓDIGO BIC: DNJ

DISEÑO DE PORTADA: Estresarte.com

MAQUETACIÓN: María O'Shea Pardo
CORRECCIÓN: Rafael Lupiani
IMPRESIÓN: Kadmos

IMPRESO EN ESPAÑA - PRINTED IN SPAIN

Las tipografías de portada son League Gothic y Droid Serif.
Las del interior son League Gothic y Baskerville.

ÍNDICE

Etapa prólogo por Carlos Arribas   5

La primera cuneta   9

Una carrera abominable   13

Doce chuletas en el maillot   27

¡«Asesinos»!   35

La gran bilbainada de Vicente Blanco, *El cojo*   49

«Nos colocarán plomo en los bolsillos»   55

El bidón de Bartali y Coppi   63

La borrachera del musulmán   81

El bello y el bestia   87

«Ojalá nunca hubiera ganado el Tour»   97

Los calvarios de Anquetil y Poulidor   103

Cuarenta pedaladas   115

Ocaña contra Merckx, contra los Alpes, contra Ocaña   129

El abrazo envenenado   151

Los relojes de Induráin y Delgado   157

Lance Amstrong y la nieve negra   185

El arte de la derrota   213

Epílogo: Así dejé el ciclismo   231

Bibliografía   237

PRÓLOGO
EL CRONISTA COMO LADRÓN DE MEMORIAS
Carlos Arribas

El otro día una compañera me contó que al salir del Bernabéu de madrugada después de un partido del Madrid cogió un taxi, y que el taxista, al ver que ella era periodista deportiva, empezó a contarle su vida. «Yo», le dijo, «fui atleta olímpico en los Juegos de Múnich. Corrí los 800 metros y llegué a semifinales, y, mire, 40 años después, aquí estoy, trabajando de noche en el taxi». «Me dijo su nombre», me contó la compañera, «pero se me olvidó. Supongo que no será difícil encontrarlo».

Intrigados y curiosos, y ya con una novela en nuestra cabeza, dimos enseguida en los libros de resultados olímpicos con un tal Antonio Fernández Ortiz, que vivía en Alcalá y que, en efecto, participó en los 800 metros de los Juegos de Múnich, aunque no llegó a semifinales, pues fue eliminado en la primera serie. En la federación, donde llamamos para que nos dieran su teléfono, nos dijeron que era curioso, pero que justamente el día anterior la amiga de un atleta veterano les había contado la misma historia: que Antonio Fernández la había cogido con el taxi y que le había contado su vida. «La verdad», nos dijo el amigo de la federación de atletismo, «es que aquí nadie tenía ni idea de que Fernández había acabado de taxista».

Cuando llamamos a su casa, se puso una mujer. «No, Antonio no está», nos dijo. Y cuando le pedimos el número del móvil para llamarlo al taxi, nos respondió: «¿Taxi? ¿Por qué piensan que está en un taxi? Yo supongo que estará en el instituto dando clases. ¿No se habrán confundido de Antonio Fernández, que hay muchos?». Pero no, no nos habíamos confundido. Su marido había sido atleta olímpico en Múnich, en efecto, pero no, que ella supiera su marido no era taxista. «Él es profesor de gimnasia aquí, en un colegio, y la noche que me dice que le cogió estaba conmigo en casa…».

Unas cuantas llamadas telefónicas después descubrimos que el taxista era en realidad un atleta popular muy conocido por su afición y por las ganas con que se entrena todos los días para correr maratones. Supimos que le llaman *el Pegaso* porque antes trabajó en la fábrica de Peugeot, pero nunca supimos por qué le había robado el pasado a Antonio Fernández, por qué había decidido que su vida verdadera era otra diferente de la que había vivido. Tampoco queríamos herirle, preguntarle por su mentira.

Los escritores, los que vivimos de contar historias, somos un poco como el taxista de madrugada. Incapaces de imitar nuestra voz como el imitador de voces de Thomas

Bernhard, nosotros, ladrones fugaces de memorias, de recuerdos, buscamos en las voces de los otros, en sus vidas, la nuestra. Decía el director Robert Bresson, provocador, que era la palabra la que creaba la imagen. Podríamos añadir también que es la mirada la que crea la palabra.

La mirada de Ander Izagirre, ladrón fugaz de decenas de vidas de ciclistas, de sus recuerdos, la mirada con la que da vida, palabra, imagen, a decenas de momentos del Tour de Francia, es la mirada voluntariamente ingenua de la fascinación. Es la única mirada que admite el ciclismo considerado como una pasión.

Comienza su gran crónica del Tour con la confesión de una revelación vivida en las cunetas de la subida a Luz Ardiden, la de la aparición de entre la niebla de Perico Delgado triunfador, y todos sabemos instantáneamente que este Ander es en esos momentos ese Perico, que cuando transforma su mirada en palabras, en imágenes, no está dando vida al gran Perico, sino a sí mismo, a su pasión. Y también en ese momento Ander es la vida de Peio, que atacó en el Tourmalet para abrirle la vía a su jefe. Y si hubiera podido, habría sido también Pepe del Ramo, uno que ahora se ha hecho rico fabricando cascos de ciclista, justamente uno de los elementos que más chocan con la visión legendaria del ciclismo, pero que aquel día frío de julio del 85 en los Pirineos cumplió su misión para Perico atacando en el Aspin. Fue un ataque corto, de unos centenares de metros, pero también Del Ramo tiene derecho a robar a su memoria y cada vez que lo narra lo recuerda diferente, su papel es cada vez más importante.

Y Ander Izagirre no solo es Perico en este libro, de título de western y subtítulo de novela picaresca. También es la borrachera transitoria del ciclista argelino al que embriagan desaprensivos espectadores, es Simpson muerto después de llevar su lucha hasta lo más extremo, es Ocaña caído, es Charly Gaul y Jean Robic, Federico Bahamontes y el Tarangu, es, quiere ser, la vida de todos, la vida soñada, vivida, recordada, leída, de tantos que tanto nos han conmovido.

LA PRIMERA CUNETA

Mi padre Iñaki me envenenó la sangre desde pequeño. Me llevó al Tour con nueve años, me enseñó a plantar una tienda de campaña y me hizo esperar dos días, con esa reverencia de los ritos un poco absurdos pero apasionados. Cuando por fin llegó el momento, la niebla cubrió la ladera de Luz Ardiden y nos dejó a ciegas.

Yo tenía dos ídolos de infancia: Pedro Delgado y Pello Ruiz Cabestany, que encima era donostiarra como yo y unos meses antes me había ayudado a colocar la rueda delantera de mi bici en el velódromo de Anoeta, mientras me colgaba la mandíbula de pura fascinación. Esperando en la niebla, supimos por las radios que Cabestany se había escapado y que pasaba primero por el Tourmalet. Y que aquello era una estrategia de equipo: en el descenso, Cabestany esperaba a su compañero Delgado, que acababa de atacar. Una vez reunidos los dos, Cabestany tiró de

Delgado y se vació en los primeros kilómetros de Luz Ardiden para dejar al segoviano con la mayor ventaja posible. Delgado venía solo, decían las radios. Pero el colombiano Lucho Herrera se le acercaba muy rápido.

Después de una eternidad, pasaron los coches con sus focos amarillos, las motos de los gendarmes con sus sirenas, brotó un murmullo que creció hasta los gritos y entre la niebla apareció la silueta de un ciclista que aún no sabíamos quién era. De pronto distinguí, temblando de emoción, el maillot blanquiazul del Seat Orbea y la cara de Perico. Su rostro retorcido y angustioso se me quedó grabado en la memoria, con el fogonazo de los recuerdos infantiles más deslumbrantes. Aquel día ganó su primera etapa en el Tour, por los pelos. Doce minutos más tarde estalló otra ovación: venía Cabestany, pedaleando muy despacio, con la cabeza gacha, recibiendo ánimos y empujones. Una hora o dos más tarde nos encontramos a Delgado y a Cabestany dentro del coche de su equipo, junto al nuestro, en medio del atasco para bajar de Luz Ardiden. Mi padre me animó a que les pidiera un autógrafo. Me acerqué, Perico bajó la ventanilla y cogió la revista *Miroir du Cyclisme* que yo le tendía. Lo recuerdo asombrosamente serio, con los labios apretados y la mirada perdida. Parecía que aún no había regresado de alguna estratosfera dolorosa que solo conocen los ciclistas. Echó un garabato de letras redondeadas sobre una foto suya. Yo no me atreví a decirle ni media palabra. Ahora ya no sé dónde tengo aquel autógrafo, pero sí sé por qué procuro arrimarme a las cunetas del Tour siempre que puedo.

Pasé casi todos los días de los doce años siguientes subido a la bici. Mi padre hizo de mecánico, director deportivo y masajista. Mi madre Arantza fue chófer, cocinera y limpiabicis en circuitos de ciclocrós. Mi hermana Eli soportaba con paciencia el monopolio ciclista y mi hermano Julen alargó unos años más esa tradición de los domingos con espaguetis a las seis de la mañana, los viajes por la provincia, las escapadas locas desde la salida que casi casi pero que casi nunca nada, los dientes partidos y el *betadine* en los rasponazos. Y mis abuelas Maritxu y Pepi daban consejos de abuela: «Cuando te canses, párate».

Dando pedales conocí a algunos de esos amigos que se quedan en la vida: Josema, Gari A., Raúl, Sergio, Gari I. El ciclismo es un papel de tornasol infalible para reconocer el carácter de las personas: compitiendo en bici, las mezquindades apestan y la generosidad brilla.

Después llegó esa época en que a los ciclistas mediocres nos dicen que es mejor que nos dediquemos a la poesía. Yo me pasé al periodismo. Y entonces Paco Sánchez, Josean Pérez Aguirre y Miguel Ángel Jimeno me ayudaron a escribir a pedales. Pese este libro sobre sus conciencias.

UNA CARRERA ABOMINABLE

La leyenda del Tour nació con un grito. En 1910 el ciclista Octave Lapize atacó desde la salida en la etapa Luchón-Bayona, la primera que recorría los caminos pirenaicos. En su escapada de 326 kilómetros, el francés pedaleó durante catorce horas y por el camino se topó con cinco monstruos que entonces nadie conocía: Peyresourde, Aspin, Tourmalet, Soulor y Aubisque. Lapize excavó la ruta de los mitos a golpe de dolor. Llegó a la cumbre del Aubisque, tiró al suelo la bicicleta, se dirigió hacia uno de los organizadores del Tour y, cuando sus pulmones reunieron un poco de aire, cinceló la primera sentencia en las tablas del ciclismo: «¡Asesinos!».

Octave Lapize resumió en una palabra lo que muchos corredores han descubierto durante más de un siglo: el instinto criminal del Tour. También lo descubrió Paco Cepeda, que se mató en el descenso del Galibier en 1935.

Y Wim van Est, el holandés que marchaba con el maillot amarillo en 1951, se despeñó por un barranco de setenta metros en el Aubisque y apareció vivo cuando bajaron a buscar su cadáver. Y Roger Riviére, un chaval que volaba hacia la victoria en 1960 cuando se estrelló en el Perjuret: se partió la columna vertebral y pasó el resto de sus días atado en una silla de ruedas. Y Fabio Casartelli, el campeón olímpico que en 1995 se quedó para siempre en una curva del Portet d'Aspet. Y Jean Robic, un escalador de bolsillo que en los descensos se cargaba de plomo para compensar su poco peso y que llevaba un anillo con la inscripción bretona *Kenbeo kenmaro*, a vida o muerte. Robic, vencedor del Tour de 1947, se fracturó a lo largo de su carrera la muñeca izquierda, las dos manos, la nariz, la clavícula izquierda, el omoplato derecho, el fémur; se abrió una ceja y sufrió el desplazamiento de cuatro vértebras; se partió el cráneo dos veces y se lo tuvieron que reforzar con una plancha de acero. Era Robic *trompe-la-mort*, el engañamuertes. También Louis Malléjac esquivó el filo de la guadaña en 1953: «He creído morir subiendo el Mont Ventoux». Malléjac acababa de intuirlo: la muerte esperaba en aquella montaña para llevarse un ciclista. En 1967 Tom Simpson dio sus últimas cuarenta pedaladas en el Ventoux y cayó fulminado por una mezcla de fármacos, alcohol y calor. El fallecimiento de este inglés, que en 1965 se había proclamado campeón del mundo en San Sebastián, removió las entrañas de miles de espectadores que seguían la tragedia en directo por televisión. Simpson se les murió en el salón de casa.

Esta competición de instinto feroz empezó a gestarse a finales del siglo XIX, en las redacciones de dos diarios deportivos parisinos. En 1891, el diario *Vélo* organizó la París-Brest-París, una prueba ciclista de 1.260 kilómetros que ganó Charles Terrot tras 71 horas de pedaleo. Los lectores, ansiosos por conocer el relato de semejante aventura, agotaron los ejemplares de *Vélo*. El éxito asombró al director del diario, Pierre Giffard, quien no tardó en crear la Burdeos-París y la París-Roubaix, un monumento del ciclismo que aún hoy recorre las rutas empedradas de hace un siglo, conservadas exclusivamente para que los ciclistas sufran en ellas una vez al año. Aquellas primeras maratones ciclistas eran en el fondo un escaparate de dos negocios en simbiosis: la venta de diarios y la venta de bicicletas. El diario *Vélo* se financiaba en gran parte por los anuncios de los fabricantes de bicicletas, y ambos, periodistas y fabricantes, se aliaban para organizar grandes espectáculos deportivos. El objetivo era seducir con las hazañas ciclistas tanto a los espectadores que presenciaban en directo el paso de las carreras como a los lectores de las crónicas del *Vélo*, teñidas de épica rimbombante. Lo consiguieron: la venta de diarios deportivos y bicicletas se disparó en Francia.

Y así, otros periodistas franceses se inventaron el Tour para vender más diarios. El hombre clave fue Henri Desgrange. Este antiguo ciclista, que entre otras hazañas había establecido en 1893 el récord de la hora en 35,325 kilómetros, trabajaba de jefe de publicidad para Adolphe Clément, fabricante de bicicletas. Organizaba carreras ciclistas para promocionar las bicicletas Clément, e incluso lanzó la idea de construir el velódromo del Parque de los Príncipes —donde terminaría el Tour todos los años, hasta 1977—. Pero Clément y Desgrange rabiaron: el diario *Vélo* jamás publicaba noticias sobre las competiciones que ellos organizaban. Y cuando se dignó mencionar el velódromo del Parque de los Príncipes, solo fue para sentenciar que resultaba «demasiado grande» y quedaba «demasiado lejos» del centro de París. Desgrange y Clément, indignados por el monopolio informativo y publicitario que ejercía *Vélo*, se reunieron con los presidentes de varios clubes y fabricantes automovilísticos —entre ellos, un tal Édouard Michelin— y en 1900 decidieron fundar un diario sobre automovilismo y ciclismo: *L'Auto-Vélo*. Henri Desgrange fue el primer director. Pero Pierre Giffard contraatacó pronto: denunció al nuevo diario por uso indebido de una marca registrada y ganó el juicio, por lo que Desgrange tuvo que eliminar la palabra *Vélo* y quedarse sólo con *L'Auto*, a pesar de que también hablara de ciclismo.

Henri Desgrange, alias *El Patrón*, decidió luchar contra Giffard con su misma fórmula, y como primer ensayo organizó la carrera ciclista Marsella-París. La prueba tuvo cierto éxito, pero *L'Auto* no vendía más de 20.000 ejemplares mientras que el *Vélo* de Giffard rondaba los 80.000. Por eso, el 20 de noviembre de 1902, Desgrange reunió a sus colaboradores para pensar en algún proyecto más ambicioso que permitiera dar un revolcón a las cifras de ventas. La idea germinó en el cerebro del redactor Géo Lefèvre:

—Últimamente nos llegan cartas desde las ciudades de provincias, porque quieren ver a las figuras del ciclismo.

Podríamos organizar una carrera por etapas que saliera de París y que recorriera las ciudades principales. Sería una vuelta a Francia.

El proyecto apasionó a *El Patrón*, quien durante los siguientes días se reunió con Lefèvre en el restaurante Madrid para concretar los detalles de semejante carrera. Por fin, el 19 de enero de 1903, la portada del diario *L'Auto* anunció el nacimiento de la criatura: «La mayor prueba ciclista del mundo entero. Una carrera de un mes, del 1 de junio al 5 de julio, por Lyon, Marsella, Toulouse, Burdeos y Nantes. 20.000 francos en premios». El proyecto aún estaba prendido con alfileres, pero Desgrange, publicista hábil, solo redactó esa especie de telegrama porque sabía que causaría expectación y que las cábalas de los demás diarios y de los lectores engordarían como una bola de nieve: «Una prueba monstruosa llamada a causar sensación» (*Le Figaro*), «Una carrera gigantesca, un espectáculo grandioso» (*Le Soleil*), «Nunca jamás se había anunciado una prueba deportiva de tal calibre» (*Le Matin*).

Hay que entender aquella euforia efervescente dentro de su contexto. A principios del siglo XX se vivía una fe algo ingenua en el progreso material. Era la época de las hazañas deportivas y las proezas técnicas, del avance imparable de las comunicaciones y los medios de transporte, de la creencia en que el progreso tecnológico acercaría a los pueblos del mundo y abriría camino a una fraternidad universal. Como escribió Josep Pla, aquellos hombres que estrenaron siglo creían que la paz y la tranquilidad humanas dependían del mejoramiento del motor de explosión o de la telegrafía sin hilos. Divinizaban el tornillo, el cambio de marchas y la carburación.

También lo hacían los franceses de 1900: se inauguró el metro parisino, el piloto Blériot atravesó el canal de la Mancha en aeroplano, se organizó la prueba automovilística París-Madrid, los ferrocarriles se habían extendido ya por todo el país y todo el continente, los transatlánticos que zarpaban de El Havre tardaban menos de doce días en llegar a Nueva York. Y donde aún no se podían construir raíles, carreteras o motores se dejaba vía libre a la poesía y la imaginación: el cineasta Georges Méliès estrenó su delicioso *Viaje a la Luna*. Muy poco después, en 1914, estalló la Gran Guerra y sobrevino la peor catástrofe jamás conocida, precisamente porque el progreso material había aumentado también la potencia de los horrores. Quedó un mundo en ruinas, amargo y perplejo. Pero aquella oleada de optimismo que bañó los primeros años del siglo XX dejó algunas huellas perdurables: el Tour de Francia, por ejemplo. Con la bicicleta, ese invento genial, los hombres se movían por su propio esfuerzo a velocidades similares o superiores a las que alcanzaban los automóviles de la época. Y esa máquina tan sencilla permitiría recorrer Francia entera, en una ruta que, de paso, era una exploración por los límites de la capacidad humana.

Porque la magia del ciclismo nace siempre de ese misterio que existe más allá de la frontera del sufrimiento. El corazón late como una lavadora a punto de estallar, hierven los muslos y los pulmones se ahogan. Saltan todas las alarmas y el cuerpo pide clemencia, pero el ciclista prolonga cuanto puede esa agonía: «Cuántas veces cerré los ojos sobre la bicicleta —escribió Pello Ruiz Cabestany—. Me acuerdo de esos momentos tan duros, en los que me olvidaba de todo: de mis amigos, de mi familia y de mí mismo. Todas mis fuerzas concentradas en las bielas que subían y bajaban. Toda mi imagen enfocada en la rueda trasera de quien me precedía. Mis ojos se cerraban para que no entrase ningún pensamiento que pudiera distraerme. Llegaba a los límites físicos, a salirme de mi cuerpo». Cuestión de límites. La diferencia entre un buen ciclista y un campeón reside en la capacidad agonística, en ese punto del sufrimiento que distingue a unas personas de otras. «He llegado muy lejos en el dolor», confesó Miguel Induráin.

Y el Tour de Francia dibujó esa ruta del dolor: 2.428 kilómetros divididos en solo seis etapas. Henri Desgrange perfiló los detalles de la prueba. Entre una etapa y otra habría dos o tres jornadas de descanso. Por miedo a quedarse sin corredores, Desgrange permitió que los ciclistas pudieran participar en algunas etapas y renunciar a otras, pero el triunfo final solo se disputaría entre quienes completaran todo el recorrido. Se establecían, además, dos categorías: una para los ciclistas que competían en equipos profesionales y disfrutaban de la ayuda de mecánicos y masajistas al final de las etapas, y otra para los *isolés* (aislados), popularmente conocidos como *desherités* (desheredados), que se las apañaban para buscar comida y alojamiento, para lavarse la ropa y curarse las heridas, para reparar la bicicleta y parchear los neumáticos. Al contrario que en muchas pruebas de la época, no se permitía pedalear a rueda de motoristas o ciclistas ajenos a la prueba. Los corredores no podían llevar «coches de apoyo con víveres, repuestos o entrenadores», ni «recibir comida o bebida de una mano amiga» –deberían buscarla en las posadas y fuentes del camino–; tampoco cambiar de bicicleta –«salvo que encontréis fortuitamente a un ciclista desconocido que acepte la vuestra en mal estado y os dé la suya en bueno»– y la ayuda mecánica estaba totalmente prohibida.

Desgrange contrató al ciclista y poeta italiano Rodolfo Muller para que meses antes recorriera en solitario todo el trazado de la prueba, a modo de ensayo. Desde el final de cada trayecto, enviaba un telegrama para informar a *El Patrón* sobre las condiciones de la ruta y los lugares adecuados para establecer controles de paso. Sobre aquellas carreteras de tierra y socavones, Muller dibujó la primera huella ciclista a través de toda Francia. Y los organizadores temieron que quizá fuera la última: a pocas semanas de la fecha de inicio, solo se habían inscrito quince ciclistas. Eso sí, entre ellos figuraban los nombres más prestigiosos del ciclismo europeo, como Maurice Garin, Léon Georget, Hyppolite Aucoutourier y el alemán Joseph Fischer. Pero Desgrange no estaba dispuesto a poner en marcha el Tour si al menos no participaban sesenta corredores. Para darle un impulso a las inscripciones, los organizadores retrasaron la fecha de salida y redujeron la duración de la prueba: se celebraría del 1 al 19 de julio, para que los corredores no profesionales pudieran participar con más facilidad, sin tener que abandonar el puesto de trabajo tanto tiempo. Y, además de los premios, *L'Auto* ofreció una dieta de cinco francos para los primeros cincuenta de cada etapa, una pequeña ayuda que permitiría a muchos sufragarse los gastos mínimos de la aventura. En pocos días, la redacción recibió 78 nuevas inscripciones, aunque algunos de ellos decidieron borrarse al final.

Por fin, el 1 de julio de 1903, frente a una posada de carretera llamada Reveil Matin (El despertador) se apelotonaron 76 figuras extravagantes, ataviadas como una mezcla de aviador, minero y vagabundo, con los tubulares enrollados a la espalda, con un maletín de cuero en el manillar para cargar con la comida y una botella de vidrio. Al frente de ellos hablaba un hombre de mostacho, chaqueta de tela y sombrero panamá: el periodista Georges Abran, encargado de dar la salida.

—Señores, debido a unas obras en la carretera, la prueba comenzará seiscientos metros más adelante, en dirección a Draveil.

Los corredores recorrieron ese tramo a pie, con la bici en la mano, charlando y bromeando con amigos, familiares y seguidores.

Alto.

Todos se detuvieron en silencio, mientras Abran levantaba un banderín amarillo —el color de las páginas de *L'Auto*, que en 1919 se convertiría en el color del maillot del líder—. A las 15 horas y 16 minutos de aquel 1 de julio de 1903 Abran bajó la bandera y los 76 ciclistas emprendieron la marcha en esa primera etapa de 467 kilómetros hasta Lyon. Nada más empezar, Aucoutourier lanzó el primer ataque de la historia del Tour. Este ciclista impaciente, que recurría al vino tinto para soportar el esfuerzo, acabó derrengado en una cuneta y se tuvo que subir al tren para llegar hasta Lyon.

Dentro del pelotón pedaleaba otro personaje insólito: Géo Lefèvre, el redactor de *L'Auto* a quien se le había ocurrido la idea original del Tour de Francia. Lefèvre cumplía los papeles de director de carrera, vigilante de los controles de paso, cronista y cronometrador. Tomaba la salida con los corredores y les seguía en bici durante veinte o treinta kilómetros, paraba en una estación y se subía al tren para adelantarse hasta otro tramo de la carrera, donde volvía a unirse a los corredores de cabeza. Al final, buscaba otro tren que le llevara a meta y allí se encargaba de tomar los tiempos. Fue el primer enviado especial al pelotón y el único de la historia que lo siguió con la fuerza de sus piernas.

El deshollinador Maurice Garin, ganador del primer Tour, venció también en esa primera etapa, después de pedalear durante toda la tarde, la noche y la madrugada, hasta alcanzar la meta de Lyon a las nueve de la mañana del día siguiente, tras dieciocho horas de esfuerzo. Cerca de él llegó su compañero de equipo Pagie, a un minuto, y en tercer lugar entró otro de los favoritos, Georget, a 35 minutos. Al mediodía, Géo Lefèvre dejó el cronómetro en manos de un ayudante y se marchó a redactar la crónica. Aún faltaban muchos participantes por llegar, pero gotearon hacia la meta de Lyon durante toda la tarde. El último llegó tras veintiocho horas de pedaleo, diez horas más tarde que Garin. Y, como en esa etapa inaugural, era frecuente que los ciclistas se pasaran la noche entera pedaleando. La etapa Toulouse-Burdeos, por ejemplo, comenzó a las tres de la mañana mientras un cinematógrafo proyectaba en una sábana imágenes de las etapas anteriores.

Antes, en la segunda etapa, un suceso obligó a Desgrange a cambiar el reglamento sobre la marcha. Aucoutourier, el ciclista que bebió demasiado tinto y llegó a Lyon en tren, quedó descalificado para la clasificación general y ya solo optaba a las victorias parciales, de modo que alcanzó un acuerdo con Georget, el tercer clasificado: se fugarían juntos para atacar al líder Garin. Así lo hicieron, y se presentaron en una Marsella abarrotada de espectadores con 26 minutos de ventaja sobre Garin. Los dos compinches se repartieron el botín: Aucoutourier ganó la etapa y Georget recortó casi toda la ventaja perdida en la primera jornada. Desgrange, consciente de que los llamados «parciales» como Aucoutourier podrían influir en el resultado final, decidió dividir el pelotón en dos. Quienes no optaran a la clasificación general saldrían unas horas más tarde que el resto.

Garin aprovechó las siguientes etapas para vapulear a sus rivales. Este es un fragmento de la crónica nocturna escrita por Géo Lefèvre, durante la tercera etapa: «Léopold Alibert y yo pedaleamos por la carretera de Nimes. En plena noche, luchamos contra las ráfagas del mistral desencadenado y las nubes de polvo. Alrededor de nosotros, la oscuridad completa. Solo la carretera blanca reluce bajo la luna. De pronto, cuatro fantasmas nos sobrepasan. Yo salgo tras ellos y les grito: «¿Quiénes sois?» . Me responde una voz: «¿Quién eres tú?», y reconozco a Maurice Garin. Me presento. «¡*Monsieur* Géo! ¡Buenas noches!», dice Garin. «He dejado atrás a Georget, lo tengo ya dominado». Entonces habla la otra voz: «¡Yo soy Dargassies, Dargassies de Grisolles!». Las sombras de Garin y Dargassies desaparecen en la noche. Pronto llegan los siguientes corredores, en plena persecución rabiosa. Nos gritan: «¡Apartaos a la derecha!». Es la voz nasal de Rodolfo Muller, quien me grita: «¡Muy bien, Géo, cumples muy bien con la vigilancia!».

La carrera fue un éxito completo. La tirada de *L'Auto* pasó de 20.000 ejemplares a los 50.000 que se vendían durante el Tour, y la cifra seguiría creciendo año tras año hasta los 320.000 en vísperas de la Primera Guerra Mundial. Los lectores seguían con avidez las crónicas pedaleadas de Lefèvre, las entrevistas, las semblanzas de los campeones, los mínimos detalles magnificados por el plantel de periodistas de *L'Auto*. Cuando los 21 ciclistas supervivientes llegaron al atestado velódromo del Parque de los Príncipes de París, el público rompió en una ovación estruendosa. En la clasificación final, Garin, ganador de tres etapas, aventajó en casi tres horas a Pottier; y Muller, el ciclista que corrió dos Tours el mismo año, concluyó cuarto a cinco horas. El vencedor consiguió una velocidad media de 26 kilómetros por hora, superior a la que podían obtener los automóviles de la época por aquellas rutas.

Ya se iba gestando el mito. Los periodistas ensalzaban a los ciclistas con apelativos y epítetos de estilo homérico: acuñaron la expresión «gigante de la ruta» como sinónimo de ciclista; Garin era «el pequeño deshollinador»; Dargassies, «el herrero de Grisolles»; estaban «el poeta Muller», «el terrible Aucoutourier» y «el escalador Fischer». ¿El escalador, en un Tour plano, sin montañas? El apodo le había caído unos meses antes, al final de las 72 horas de París, una de esas pruebas ultramaratonianas tan del gusto de la época, en la que los ciclistas pasaban tres días seguidos dando vueltas al velódromo del Parque de los Príncipes. El alemán Fischer terminó la carrera al borde de la locura. Tiró la bici, salió del velódromo, escaló un árbol y se sentó allí, sobre una rama, en silencio. Durante un par de horas, el alemán no dijo media palabra y nadie le convenció para que bajara. Joseph Fischer, el escalador. Había nacido la leyenda del Tour y la leyenda de sus primeros personajes.

«He sufrido penurias; he pasado sed, frío y sueño; lloré entre Lyon y Marsella», declaró Garin en *L'Auto*. «Ahora que la carrera ha terminado y que no estoy obsesionado con la siguiente etapa, puedo decir que vuestra carrera es la más abominablemente dura que se pueda imaginar. Habéis revolucionado el ciclismo. El Tour marcará un hito en la historia de las carreras en ruta».

DOCE CHULETAS EN EL MAILLOT

Henri Cornet ganó el segundo Tour de la historia pero él no se enteró hasta cuatro meses más tarde. El 30 de noviembre de 1904, la Unión Velocipédica Francesa anunció que descalificaba a los cuatro primeros (Maurice Garin, René Pottier, César Garin e Hypolitte Aucoutouricr) por maniobras ilegales durante la prueba, y declaró ganador al quinto clasificado, Cornet, que había terminado a tres horas de Garin. Gracias a esta carambola, Cornet se convirtió en el vencedor más joven de la historia, con 19 años, marca jamás rebajada.

¿Por qué esperaron cuatro meses para anunciarlo? Porque la segunda edición del Tour había sido un tumulto continuo, los ciclistas cometieron todo tipo de trampas y en plena carrera se vivieron batallas campales entre rebaños de fanáticos que apoyaban al ídolo local y los ciclistas rivales. La Unión Velocipédica Francesa prefirió comunicar las descalificaciones en invierno, cuando los ánimos ya se habían enfriado, para evitar turbamultas y linchamientos. De hecho, a partir de esa decisión, el inocente Cornet padeció persecuciones, insultos y amenazas. Nadie tenía menos interés que él en alcanzar la fama: su verdadero nombre era Henri Jardy y había corrido el Tour bajo seudónimo para evitar que su familia supiera que se dedicaba al ciclismo, un deporte de brutos, golfos y desesperados. Con el revuelo organizado a finales de noviembre, Cornet tuvo que confesar a su familia que había ganado el Tour. Y después se retiró del ciclismo un par de años, para huir de las iras familiares y las amenazas de los fanáticos.

El primer Tour de Francia había encendido pasiones extremas por todo el país, y los seguidores más encrespados prepararon todas las trampas necesarias para que sus ídolos triunfaran en la segunda edición. En 1904, 88 corredores salieron de París para completar el mismo recorrido del año anterior, con la diferencia de que se había suprimido la opción de participar sólo en algunas etapas. Los problemas comenzaron en el tramo nocturno de la primera jornada: Pottier, Aucoutourier, Chevalier y Samson fueron sancionados porque aprovechaban coches amigos para remolcarse una y otra vez. Otro vehículo intentó derribar a Maurice Garin y él mismo fue acusado de recibir una bolsa con provisiones desde un coche. Ya se empezaba a hablar de fármacos misteriosos y dopaje. Los sucesos más graves ocurrieron en Saint-Étienne, donde los aficionados jalearon a su paisano Faure, que marchaba escapado, y después ocuparon la carretera para cerrar el camino al resto de los ciclistas. Cuando los corredores intentaron abrirse paso, los amigos de Faure atacaron con palos y escogieron bien a las víctimas: el líder Garin recibió una pedrada en la cara y quedó aturdido y sangrando. Los coches de los organizadores embistieron contra los hinchas y consiguieron despejar el tumulto, pero sobre la carretera quedaron numerosos ciclistas magullados. Más tarde, en Lunel, la ruta apareció sembrada de botellas rotas y clavos. Algunos de los ciclistas explicaron años después cómo funcionaban esas tretas: «Era muy sencillo. Alguien te decía, por ejemplo, que entre el kilómetro 100 y el 102 circularas siempre por la izquierda. Los corredores que no sabían nada pasaban por la parte derecha, sembrada de clavos, y pinchaban constantemente». En Nimes, algunos corredores y organizadores recibieron insultos, escupitajos y puñetazos, como protesta por la descalificación del ciclista local Payan, acusado de compincharse con grupos de ciclistas y motoristas que lo llevaban a rueda durante algunos tramos del recorrido. En aquella bronca, alguien sacó una pistola y disparó varios tiros al aire. Garin mostraba su temor: «Ganaré el Tour, si antes no me asesinan». Llegó a París sano y salvo, con tres minutos sobre Pottier, una ventaja exigua para la época, y recibió los honores de campeón. Además, su hermano César terminó tercero, a casi dos horas. Pero el 30 de noviembre recibió la noticia de la descalificación. «Henri Cornet es el ganador del segundo Tour», anunció Desgrange. «Y creo que será el último. El Tour ha muerto de éxito».

El epitafio de Desgrange no se cumplió. En 1905 el Tour arrancó por tercera vez, con una distancia de casi tres mil kilómetros pero mucho más dividida: de seis etapas se pasó a once, para evitar los trayectos nocturnos y las tretas amparadas en la oscuridad. Hubo broncas desde el primer día: la organización calculó que se habían sembrado 125 kilos de clavos por el recorrido de la etapa inaugural y algunas ciudades declararon «indeseable» al Tour por los disturbios que producía a su paso. Pero la pasión deportiva se fue imponiendo. Por primera vez, los ciclistas escalaron puertos de montaña: el Ballon de Alsacia, la côte de Laffrey y el col de Bayard. René Pottier fue el primer dominador de las cuestas. Escaló el Ballon de Alsacia en cabeza y al año siguiente redobló su hazaña: subió ese mismo puerto en cuarenta minutos, a veinte kilómetros por hora, y se escribió que esa marca nunca jamás sería superada. Aquella ascensión meteórica le valió a Pottier 48 minutos de ventaja en la meta de Dijon, la victoria final del Tour de 1906 y la primera aureola de héroe romántico para un ciclista, sobre todo cuando ese mismo invierno apareció ahorcado en su taller de bicicletas, después de lo que los cronistas llamaron «un desengaño amoroso».

Los lectores de *L'Auto* seguían con fruición tanto las hazañas deportivas de los campeones como las andanzas de los *isolés*, aquellos aventureros medio chiflados que debían buscarse la vida de cualquier manera para pagarse los gastos del Tour. El público adoraba a Deloffre, un corredor con dotes de equilibrista que en las salidas de las etapas colocaba una silla en mitad de la calle y hacía el pino sobre ella, daba piruetas y saltos mortales y después pasaba la gorra. Dozot, penúltimo en el Tour de 1907, aprovechaba

las jornadas de descanso para recorrer la ciudad en bicicleta, anunciarse como corredor del Tour y vender tarjetas
postales con su foto por los cafés. Se contaban las trave-
suras de Brulé, como la de aquel día en el que marchaba
escapado y el pelotón le recortaba distancias a toda velocidad. Brulé decidió esconderse en una posada de carretera
hasta que pasaran los perseguidores, luego se reincorporó
a la cola del grupo con sigilo y dejó que los ciclistas de cabeza porfiaran en su caza unos cuantos kilómetros, hasta
que adelantó al grupo, muerto de risa, para preguntarles
a quién perseguían.

Los aficionados admiraban la elegancia triunfadora de
Lucien Petit-Breton, conquistador del primer doblete (ganó
los Tours de 1907 y 1908), un francés menudo, criado en
Buenos Aires y desembarcado de vuelta a Europa con aires
de tanguero, pelo engominado, bigote de guías afiladas,
chaquetas entalladas y pantalones de campana. El coqueto
Lucien Mazan, que adoptó el nombre artístico de Petit-
Breton para su carrera ciclista, triunfaba en los velódromos
y en las carreteras, seleccionaba las victorias con más prestigio (París-Bruselas, Milán-San Remo, Vuelta a Bélgica,
récord de la hora) y en su segundo Tour conquistado se
permitió el lujo de fugarse en la última etapa en compañía
del segundo clasificado, François Faber, el luxemburgués
que tomaba la salida con doce chuletas en el bolsillo del
maillot, y batirle al esprint en el Parque de los Príncipes.
Petit-Breton era distinguido incluso a la hora de atacar:
siempre avisaba. Pero ese aviso tenía algo de rito brutal,
era una ceremonia con la que pasaba de la elegancia más

cuidada a la ferocidad salvaje. «Cuando va a atacar», escribió un periodista, «se pone de puntillas sobre los pedales y pega un grito aterrador, un grito que no es humano, un aullido de sirena atroz».

En el Tour de 1907, dominado por Petit-Breton, aparecieron los primeros extranjeros de renombre, los italianos Ganna, Galetti y Pavesi, que acabaría sexto, pero ese año el personaje favorito de los lectores fue Pépin de Gontaud. El tal Gontaud era un aristócrata joven y deportista de Toulouse que se inscribió en la categoría de los *isolés* y fichó a Dargassies, «el herrero de Grisolles», y al modesto Gauban para que le escoltaran durante todo el recorrido. Gontaud corría con los gastos de sus compañeros y no tenía dudas a la hora de avituallarse: antes de cada etapa consultaba cuáles eran los mejores restaurantes del recorrido y así establecía los lugares en los que el trío se detendría a comer. Un periodista de *L'Auto* les acompañó en uno de esos banquetes y contó cómo entre plato y plato Pépin de Gontaud pedía a Dargassies que controlara su temperamento, es decir, que pedaleara más suave, «y el herrero de Grisolles musitó una disculpa y bajó las orejas». Parece que Gauban era más impaciente: pidió permiso al aristócrata para que le dejara correr la primera parte de alguna etapa con el grupo de los favoritos. «Y luego esperaré en el lugar que usted me indique», prometió Gauban. Pero Gontaud tenía las cosas claras: «Ni hablar. Yo pago para que me acompañéis». El trío resultó una de las atracciones que más esperaban los seguidores de aquel Tour. La séptima etapa llegaba a Toulouse, ciudad de Gontaud, y por el camino el trío alcanzó a Teychenne, un *isolé* hambriento y desfallecido. Gontaud le invitó a comer con ellos, lo sumó a la comitiva y los cuatro juntos alcanzaron Toulouse. Allí, el aristócrata decidió que ya tenía suficiente ración de Tour y ordenó a sus dos escuderos que se retiraran con él.

Los paseos señoriales de Gontaud con dos ciclistas a su servicio no gustaron nada a Desgrange, que deseaba mantener la fama fiera de la prueba. Tampoco le agradaron los comentarios de Ernest Paul, ganador de varias etapas y gregario de lujo del campeón luxemburgués Faber, el de las chuletas en el bolsillo: «El Tour es una excursión buena para la salud», dijo Paul. «Apenas me canso. En mi trabajo de descargador, en una semana sufro mucho más de los riñones que en todo un mes sobre la bicicleta». El propio Faber, vencedor del Tour de 1909, insistió en el asunto: «Mi oficio de descargador es menos lucrativo y más fatigoso que el Tour». En el fondo, Paul y Faber pretendían picar el orgullo de Desgrange. Después de varias ediciones, el nivel cada vez era mayor, los ciclistas ya habían aprendido a rodar en grupo a grandes velocidades y resultaba más difícil establecer diferencias. Por eso, Paul y Faber deseaban que la organización endureciera el recorrido. Y tocaron la fibra sensible de Desgrange.

«¡ASESINOS!»

Desgrange descubrió pronto que las etapas montañosas disparaban el interés de la prueba: en los escasos puertos subidos hasta entonces, miles de aficionados se habían agolpado en las rampas más duras para ver de cerca el sufrimiento de los ciclistas. Y eso se traducía en un incremento claro de las ventas del diario. Desgrange barajaba otro motivo más para buscar itinerarios tortuosos: allá por donde circularan los ciclistas iría siempre la flota de coches de la organización, y los aficionados podrían comprobar de primera mano la fortaleza de estas máquinas. No se debe olvidar que el diario se llamaba *L'Auto*, que gran parte de las acciones estaban en manos de constructores de automóviles y que deseaban popularizar el coche entre los franceses.

Por todo esto, en la primavera de 1910 Desgrange convocó a sus colaboradores para buscar novedades que revitalizaran el interés de la prueba. El periodista Alphonse

Steinès propuso una travesía por los Pirineos, pero Desgrange fue tajante.

–Ni hablar. Los Pirineos son una región salvaje, apenas hay pistas practicables y suelen estar sepultadas por corrimientos de tierras y por aludes. Seguiremos buscando subidas nuevas por los Alpes.

El Patrón pretendía endurecer el Tour pero tenía miedo de excederse: en 1909, durante una breve incursión por el macizo alpino de Chartreuse, una tempestad mandó para casa a medio pelotón. Desgrange no quería quedarse con un puñado de corredores a las primeras de cambio. A los pocos días, Steinès volvió a la carga, esta vez con un mapa detallado de los Pirineos y varios collados marcados en rojo: Peyresourde, Aspin, Tourmalet, Soulor y Aubisque. Desgrange abrió la mano.

–Pero, si no eres capaz de franquear en coche esos collados, olvídate de ellos.

Steinès, otro periodista con el veneno del Tour en la sangre, aceptó encantado y preparó el viaje. Centró su exploración en unos valles remotos, una región conocida como el Círculo de la Muerte, en la que solo unos pocos pastores se atrevían a entrar. Buscaba una ruta para que los ciclistas atravesaran esa región de montañas envueltas en niebla eterna, con precipicios oscuros, vientos brutales, tormentas repentinas y grupos de osos que devoraban ovejas por docenas. Iba a abrir un territorio nuevo, un escenario grandioso en el que se librarían algunas de las mejores batallas del ciclismo. Y, antes de partir, describió su proyecto en un artículo publicado en *L'Auto*. Cuando se conoció la intención de llevar el Tour a los Pirineos, se formó un escándalo. En los mentideros ciclistas se decía que Desgrange iba a llevar demasiado lejos sus ansias de rizar el rizo, que ninguno de los ases participaría en semejante escabechina. A la redacción llegaron montones de cartas de lectores que atacaban la propuesta. Entre ellas, una enviada desde la ciudad de Pau, al pie de la cordillera: «Yo conozco bien los Pirineos», decía el lector. «Es imposible recorrerlos en bicicleta. Si persiste usted en enviar a los *sportsmen* a estas montañas, sepa que los estará enviando a la muerte. Entonces será usted un asesino». A pesar de estas palabras —una premonición de las que pronunciaría Octave Lapize unos meses más tarde—, el instinto comercial de Desgrange juzgó que los Pirineos serían un bombazo para la opinión pública: si el mero anuncio del proyecto había desatado tal controversia, una etapa pirenaica acapararía la atención del país entero. *El Patrón* volvió a hablar con Steinès, esta vez para apremiarle a salir hacia la cordillera.

Steinès alquiló un coche con chófer y viajó hasta el sur de Francia. A primeros de mayo, los Pirineos se aparecían entre las nubes como una muralla de nieve. Antes que nada, el periodista visitó a un ingeniero de caminos y puentes llamado Blanchet, lector asiduo de *L'Auto*, aficionado a los deportes y seguidor del Tour. Blanchet recibió la llamada de Steinès justo después de leer su artículo en el diario. Por eso, cuando se reunieron a comer en un restaurante, el ingeniero soltó su primera advertencia con una sonrisa.

—Parece que en París están ustedes al borde de la locura.

Steinès, testarudo, apenas tenía tiempo de asir el tenedor. Se dedicó a desplegar mapas sobre la mesa y a bombardear con preguntas a Blanchet.

—Como mucho —concedió el ingeniero—, sería posible cruzar en bicicleta el Peyresourde y el Aspin. Son caminos de tierra relativamente bien apisonada. Pero la carretera del Aubisque es lamentable, está destrozada. Nada que hacer. Y el Tourmalet... es imposible subirlo en bicicleta.

—¿Cuánto costaría acondicionar la carretera del Aubisque? —preguntó Steinès.

—Para dejarla en un estado mínimamente practicable, cinco mil francos. Y de ahí para arriba.

Cinco mil francos suponían una pequeña fortuna, una suma fuera de la competencia de Steinès. Por eso, el periodista pidió una conferencia con el despacho de *El Patrón* en París, una operación que entonces requería bastantes maniobras: operadoras, clavijas, cables. Tuvo suerte y consiguió establecer la llamada antes de un cuarto de hora. Steinès saludó a Desgrange y le endulzó las explicaciones del ingeniero, mientras *El Patrón* escuchaba con recelo. Las interferencias, los chasquidos y los pitidos entorpecían la conversación, pero cuando Steinès nombró la cifra que costarían las reparaciones, *El Patrón* bramó con claridad.

—¿Estás loco? ¿Pretendes arruinar el periódico?

Steinès sabía bien que detrás del Desgrange gestor, preocupado por las finanzas, latía un Desgrange apasionado por la aventura y las apuestas temerarias. El periodista insistió con argumentaciones, circunloquios y zalamerías, y Desgrange empezó a caer en la trampa.

—Mira, Steinès, arréglatelas con mil francos.

—¿Cómo? ¿Tres mil francos? No oigo bien. No sé si se podrá hacer algo con tres mil francos. Lo intentaré, *Patrón*.

Steinès colgó el auricular y volvió a la mesa de Blanchet con una sonrisa de oreja a oreja.

—Arreglaremos el Aubisque.

Faltaba el Tourmalet, pero en este caso el ingeniero se cerró en banda.

—Si no me cree, solo puedo decirle que intente verlo con sus ojos. Así comprenderá que es imposible.

Steinès aceptó el envite, anunció sus planes de acercarse al Tourmalet en coche y agradeció su ayuda a Blanchet. El ingeniero se despidió con un consejo inquietante.

—Buena suerte y tenga cuidado con los osos.

Steinès ordenó a su chófer que condujera hasta Sainte-Marie-de-Campan, una aldea de caserones de piedra y tejados de pizarra arracimados al pie de la cordillera. Comieron en un albergue del pueblo y el periodista aprovechó para preguntar a los clientes de las mesas contiguas si era posible cruzar el Tourmalet.

—Si tiene usted buenos pulmones y suelas resistentes... Con esos zapatos no va a llegar a ningún lado.

—Pretendo subir en coche.

—¿En coche?

Los vecinos se miraron entre sí para calibrar la locura de aquel parisino, alguno incluso rompió en risotadas. El dueño del albergue le dio algunas instrucciones.

—Cada kilómetro, verá un mojón al borde de la pista. Cuéntelos. Hasta la cima hay diecinueve, pero no encontrará los últimos. Estarán bajo la nieve. No podrá llegar en coche hasta el collado.

Desde la aldea partía una senda estrecha de tierra y guijarros, que primero ascendía suavemente por los bosques. El coche avanzaba traqueteando pero sin demasiados problemas, hasta que los árboles clarearon y la pista emprendió una subida brutal hacia una ladera terrosa, con un par de curvas de herradura y rampas muy empinadas para salvar el desnivel. El motor marchaba al rojo vivo y Steinès preguntó si no sería mejor detenerse un rato para dejarlo enfriar, pero el chófer temía que el coche no pudiera arrancar de nuevo en semejante cuesta. Para empeorar el asunto, por aquella ladera pelada caían torrentes del deshielo que encharcaban el camino o arrasaban algunos tramos. El coche saltaba de bache en bache y el chófer temía que en cualquier momento los ejes golpearan un socavón y el automóvil se quedara allí atascado.

—Esto es una locura —murmuraba el chófer—. Por aquí no se puede seguir.

Steinès se hacía el sordo y buscaba con avidez el siguiente mojón kilométrico. La pista, cada vez más tenue, se acabó convirtiendo en un par de roderas leves que se confundían con el pedregal, y cada vez que un pedrusco golpeaba la carrocería el rostro del chófer se retorcía como si mascara ortigas. La nieve, primero en manchas sueltas, luego en neveros más extensos, comenzó a cubrir el camino.

—Ya llevamos dieciséis mojones. No queda mucho —decía Steinès.

A la vuelta de una curva, el camino desapareció definitivamente bajo la nieve. El chófer lanzó un gruñido y apagó el motor. Steinès insistió.

—Vamos a intentar llegar al collado, debe de estar cerca.

—Ni loco. Si meto el coche en la nieve, no volveré a sacarlo. Y dentro de una hora se hará de noche. El dueño del albergue ha dicho que los osos hambrientos buscan ovejas perdidas en la oscuridad, no pienso quedarme aquí paseando.

Steinès se apeó del coche y caminó por los alrededores, para comprobar el estado de la nieve. A los pocos metros, la capa era muy profunda y se hundió hasta las rodillas, pero a lo lejos podía apreciar con claridad el collado del Tourmalet. Estaba muy cerca de coronarlo y de abrir ese paso para la historia del ciclismo.

—Seguiré a pie —anunció Steinès—. Usted dé media vuelta con el coche, descienda a Sainte-Marie-de-Campan, rodee el macizo por Lourdes hasta el siguiente valle y espéreme en la otra vertiente del Tourmalet, en la aldea de Barèges.

Steinès echó a andar y pronto descubrió que la buena suerte premiaba su audacia: a la puerta de una borda de piedra, un pastor adolescente y su perro cuidaban un rebaño de cien ovejas. El periodista ofreció veinte francos al zagal si le acompañaba hasta el paso del Tourmalet.

—No puedo. Como el patrón descubra que he abandonado el rebaño, me molerá a palos.

—Tu patrón ya no vendrá a estas horas, chico. He subido hasta aquí en coche y no he visto a nadie en todo el camino.

El pastor aceptó los francos y salió trotando cuesta arriba. Steinès, jadeante, intentaba seguir la marcha, pero en la nieve dura sus zapatos resbalaban y en la blanda se hundía hasta los muslos. En poco más de media hora, el periodista trepaba a cuatro patas la pala final de la montaña, con la noche lamiéndole los pies. Se asomó al otro collado y descubrió que la otra vertiente ya estaba completamente a oscuras. Steinès esperaba guiarse por las luces de Barèges para orientarse en el descenso, pero desde la cima no se veía el pueblo.

—Chaval, te doy veinte francos más si me bajas hasta Barèges.

El pastor se negó. Dio media vuelta y dejó a Steinès solo, en una noche helada a 2.115 metros de altitud, con dos recomendaciones finales que completaron el ramillete de consejos inquietantes que el periodista había recibido ese día.

—Baje con mucho cuidado. Pero baje cuanto antes.

Steinès descendió a ciegas. Tanteó cada metro con pies y manos, tropezó y se hirió contra rocas salientes, se hundió en la nieve hasta la cintura y en un par de caídas ahogó un grito de terror cuando creyó que se desplomaba por grietas. Mientras deambulaba sin rumbo, escuchó un estruendo que caía sobre él. Un alud. Se quedó plantado en el lugar, paralizado por el terror, y unos segundos más tarde una avalancha de nieve y rocas arrasó la ladera a pocos metros de él. El alud saltó por un abismo y las rocas estallaron cientos de metros más abajo con un fragor infernal. El eco retumbó por todo el valle y Steinès cayó en un ataque de pánico.

—¡Mierda para el Tour! ¡Mierda para el Tour!

Agotado, se sentó en una roca para recuperar la respiración. Poco a poco se calmó. Y vio que el cielo se aclaraba, que la luna se reflejaba en la nieve y al menos podía orientarse un poco y bajar sorteando los barrancos. Enseguida encontró un mojón de piedra derribado y se le reavivaron los ánimos. La nieve menguaba, pronto pudo caminar sobre tierra. Y un rugido líquido le confirmó su salvación: el arroyo de Barèges. Corrió por la orilla, con los pies ensangrentados y congelados. Al doblar un recodo, descubrió cinco o seis brasas lejanas que brillaban y se movían en la oscuridad.

—¡Socorro!

Las luces se movieron hacia él y un par de minutos más tarde apareció una cuadrilla con antorchas. Steinès reconoció a su chófer, al corresponsal local de *L'Auto* y a varios gendarmes que habían salido en su busca. Lo cargaron a la espalda del gendarme más fornido y lo bajaron hasta el albergue de Barèges, donde le dieron caldo, ropa seca, y lo acostaron envuelto en mantas al lado de una chimenea. Eran las tres de la madrugada.

Por la mañana, el chófer esperaba encontrarse con un Steinès aún tembloroso y amilanado por el Tourmalet, pero el periodista, nada más levantarse, dijo que quería poner un telegrama urgente a París. Le acompañaron a la oficina y dictó un mensaje delirante para Desgrange:

cruzado el tourmalet stop ruta buen estado stop ningún problema para ciclistas stop saludos Steinès

43

A los pocos días, *L'Auto* publicó el recorrido definitivo del Tour de 1910, que atravesaba los Pirineos en dos etapas, de mar a mar: Perpiñán-Luchón (con los puertos de Port, Aspet y Ars) y la salvaje Luchón-Bayona (Peyresourde, Aspin, Tourmalet, Soulor y Aubisque). Una cuarta parte de los inscritos retiró su nombre al conocer el recorrido definitivo. Pero aquella edición levantó más expectación que todas las anteriores –más diarios vendidos que nunca, más aficionados en las cunetas que nunca–, porque a la novedad montañosa se le unió el mayor duelo entre campeones disputado hasta entonces: por un lado, Octave Lapize, que coleccionaba triunfos en las mejores pruebas de un día gracias a su esprint demoledor; y, por otro, François Faber, el luxemburgués que arrasó en el Tour de 1909 después de anotarse cinco victorias consecutivas, ceder la siguiente a su compañero Ernest Paul y conseguir la sexta unos días más tarde.

La edición de 1910 fue un intercambio de dentelladas entre estas dos fieras. Faber ganó la segunda y la cuarta etapa y se afianzó en el liderato. Lapize se adjudicó la sexta etapa y las dos pirenaicas –la novena y la décima–, pero no le bastó para apear a Faber del primer puesto. El luxemburgués, atacado por las desgracias, superó toda clase de pinchazos y caídas pero no consiguió esquivar a un perro: rodó por los suelos, partió el manillar y perdió un pedal. Llegó a Nantes pedaleando con una pierna y, allí sí, cedió el liderato a Lapize. Dos días antes de llegar a París, Faber sufrió una úlcera de estómago y los médicos le recomendaron el abandono, pero el luxemburgués decidió seguir.

Incluso atacó con desesperación en el tercer kilómetro de la última etapa. Llegó a tener diez minutos de ventaja, pero dos pinchazos, una caída y los dolores de la úlcera frenaron su marcha. Aún fue capaz de llegar al Parque de los Príncipes por delante de Lapize, pero no consiguió superarle en la clasificación general.

Después de aquella carrera trepidante, Lapize inscribió su nombre en la historia del Tour, y no tanto por su victoria final sino por su hazaña en los Pirineos y por el famoso grito acusador en la cima del Aubisque. Al principio de aquella etapa, los organizadores dieron unas cuantas advertencias a los ciclistas que se disponían a pedalear por el Círculo de la Muerte: ojo con los árboles derribados, ojo con los abismos del circo de Littor, ojo con la nieve y el hielo que cubren la parte alta del Tourmalet... y un aviso ya clásico:

–Mucho cuidado con los osos.

Octave Lapize no se inquietó por esas advertencias, por una razón muy sencilla: era absolutamente sordo. «Octave marchaba tan concentrado en carrera que algunos lo consideraban antipático», contaba el ciclista Eugène Christophe, «pero él tenía que estar atento para ver todo y evitar las colisiones. Una vez apeado de la bicicleta, se mostraba encantador con quienes procuraban articular sus frases para que él pudiera seguir la conversación. Incluso era el primero en acudir a estrechar las manos por miedo a parecer descortés al no haber oído a alguien que lo hubiera saludado». La sordera quizá le sirvió para ahorrarse las advertencias inquietantes en la salida de la gran etapa pirenaica, y quizá por eso se escapó de salida, sin más preocupaciones que atacar a fondo para derrotar a Faber. Lapize se llevó a su rueda a Garrigou y al bayonés Lafourcade, un ciclista animoso que rodó por encima de sus posibilidades porque la meta de ese día estaba al lado de su casa. Los tres ciclistas pedalearon juntos durante horas, puerto arriba y puerto abajo, pero en el tremendo Aubisque, quinta ascensión de la jornada, Lapize y Garrigou se desfondaron. Lapize, asfixiado, alcanzó la cumbre del puerto a catorce minutos de Lafourcade, dando eses. Tiró la bicicleta al suelo, se acercó a uno de los organizadores y escupió su famoso «¡asesinos!».

Pero Lapize resucitó. Aún quedaban 177 kilómetros hasta Bayona y el ciclista sordo emprendió una persecución agónica en compañía del italiano Albini. Tardaron cien kilómetros en alcanzar a Lafourcade. El bayonés, al borde de sus límites, reventó cuando lo capturaron y llegó con un cuarto de hora de retraso a la meta, acogido por una ovación y al borde del desmayo. Para entonces, el gran Lapize había batido con su esprint fulminante a Albini y ya descansaba en el hotel. Durante las siguientes horas, fueron apareciendo por Bayona ciclistas desperdigados, deshechos, triturados en las fauces de los Pirineos. A muchos tuvieron que llevarlos en brazos hasta los albergues. Algunos reservaron un gramo de fuerza para cruzar la meta, buscar a los organizadores y dedicarles los insultos que habían rumiado durante horas de padecimiento. Pero Desgrange, maravillado por los miles de espectadores que subieron a los puertos y por las tiradas extraordinarias del diario *L'Auto*, decidió apretar aún más las tuercas de esa máquina de producir sufrimiento en que se estaba convirtiendo el Tour.

LA GRAN BILBAINADA DE VICENTE BLANCO, *EL COJO*

Los pies de Vicente Blanco eran dos puros muñones. En 1904, cuando tenía 20 años y trabajaba en la siderurgia La Basconia, una barra de acero incandescente le entró por el talón izquierdo y le atravesó el pie hasta los dedos. Los músculos se le fundieron en un amasijo de carne quemada. Pocos meses después, Vicente volvió al trabajo en los astilleros Euskalduna y los engranajes de una máquina le trituraron el pie derecho: le amputaron los cinco dedos machacados. Pero Vicente era de Bilbao.

Y Vicente, alias *El Cojo*, se empeñó en correr el Tour. Después de sus accidentes, volvió a trabajar de botero en la ría bilbaína, y un día recogió de la chatarra una bicicleta sin neumáticos. Como no tenía dinero para comprarlos, ató las sogas del bote alrededor de las llantas y empezó a entrenarse. Se lució en las carreras más prestigiosas de la época (Pamplona-Irún-Pamplona, Volta a Catalunya,

Irún-Vitoria-Bilbao-Irún), incluso ganó los campeonatos de España de 1908 y 1909, con la camiseta de lana de la Federación Atlética Vizcaína. Pero se hizo famoso por los continuos trompazos que se daba —«su cuerpo tiene más cicatrices que todos los toreros de España», dijo el diestro Cocherito— y, sobre todo, por sus fanfarronadas. El cronista Ángel Viribay cuenta cómo Vicente se presentó en la salida de una larga carrera en Bilbao y anunció a voz en grito que saldría sin avituallamiento, para dar ventaja a sus rivales. Nadie sabía que unas horas antes sus amigos habían ocultado cazuelas de bacalao en diversos puntos del recorrido. *El Cojo* se escapó pronto, por el camino devoró a escondidas las tajadas de bacalao y llegó primero con muchos minutos de margen. Para completar el circo, entró en meta con un perro atado a su manillar.

Tampoco tiene desperdicio la táctica que empleó para ganar su primer campeonato de España, disputado en Gijón en 1908. Vicente, como tenía costumbre, viajó en bici hasta la ciudad asturiana y allí tomó la salida. A mitad de recorrido, donde los participantes debían firmar en un control de paso, llegaron cuatro ciclistas escapados, Blanco entre ellos. El bilbaíno saltó de la bici antes que nadie, firmó y arrancó con rapidez sin esperar a sus compañeros de fuga. Cuando el siguiente corredor quiso firmar, se dio cuenta de que Blanco había partido la punta del lápiz. El comisario encargado del puesto no tenía nada más con qué escribir y se volvió loco buscando algún instrumento para afilar el lápiz, hasta que un espectador le dejó una navajita y consiguió sacarle punta. Los tres ciclistas firmaron y salieron juntos a por Blanco, furiosos, pero ya no pudieron alcanzarlo. *El Cojo* era campeón de España.

Vicente Blanco lanzó su gran farol en 1910. Aquel año, octava edición del Tour, los organizadores incluyeron por primera vez una etapa que recorría los puertos más terribles de los Pirineos y para curarse en salud estrenaron también el coche escoba, una camioneta que recogería por el camino a heridos y agonizantes. Una cuarta parte de los inscritos borró su nombre al enterarse del trazado. Pero Vicente, con 26 años, montó en su bici y pedaleó desde Bilbao hasta París. «¿Por qué no?», explicaba años después. «Así iba siempre, en bici, lo mismo a Barcelona que a Valencia. Y a París mucho mejor, porque las carreteras francesas estaban más cuidadas». Un año antes, un grupo de aficionados del Club Ciclista San Sebastián había acudido a la etapa con final en Bayona y había ofrecido un premio de 25 pesetas al primer ciclista no profesional que cruzara la meta. Aquellos seguidores donostiarras cenaron en Bayona con representantes del diario *L'Auto*, y éstos les animaron a que algún ciclista vasco se inscribiera en el Tour. Manuel Aranaz, mentor deportivo de Vicente Blanco, masticó la idea y convenció a *El Cojo*. El diario barcelonés *El Mundo Deportivo*, enterado de las intenciones de Blanco, quiso alentar la participación española en el Tour, y el 23 de junio de 1910 anunció un premio especial: «Una medalla de oro para el primer español que logre figurar en la clasificación final del Tour, y una de bronce para el que consiga, por lo menos, verificar la mitad del recorrido».

Por aquel entonces se tenía a Vicente Blanco como el primer español que participaba en el Tour, una idea sostenida durante casi un siglo, pero las investigaciones de la revista belga *Coups de Pedals* en 2003, con motivo del centenario de la prueba, quitaron las telarañas a un nombre que permanecía en el fondo del baúl histórico: José María Javierre. Este ciclista, natural de Jaca, participó en el Tour de 1909, un año antes que Blanco, y repitió en 1910. No solo eso, sino que en las dos ocasiones consiguió terminar la prueba, en los meritorios puestos 17 y 24. Pero Javierre jamás vio la medalla de oro prometida por *El Mundo Deportivo*. ¿Por qué nadie se enteró de que un español ya había participado en el Tour? Porque aquel hombre vivía desde pequeño en Francia y participó con su nombre afrancesado: Joseph Habière. Su padre murió cuando él era niño; la madre agarró entonces a José María y a sus cuatro hermanos y cruzó la frontera para buscar trabajo en Oloron, al pie de los Pirineos franceses. Javierre no consiguió la nacionalidad francesa hasta 1915, como premio por enrolarse en la Legión Extranjera y luchar en la Primera Guerra Mundial. Curiosamente, las heridas sufridas en batalla dejaron cojo a Javierre para el resto de sus días. Aunque en 1909 y 1910 aún no tuviera la nacionalidad, Javierre se inscribió en el Tour como francés. Por lo tanto, cada cual puede establecer el criterio que prefiera para elegir cuál de estos dos ilustres cojos fue el primer español que participó en el Tour.

A Vicente Blanco no le preocupaban estos honores un poco absurdos. *El Cojo* pedaleó desde Bilbao y llegó a la capital francesa el 2 de julio de 1910, extenuado, desorientado y hambriento. El Tour comenzaba al día siguiente. Tenía las señas de un mecánico español que trabajaba en la fábrica de bicicletas Alcyon, quien le dio una bicicleta nueva y le acompañó a la sede de *L'Auto* para recoger su dorsal, el 155. Después cenó lo que pudo para reponer las fuerzas gastadas en los mil kilómetros de viaje en bici, durmió mal y se levantó muy débil. En la salida, vio de cerca a los campeones de la época: Lapize, Faber, Cruppelandt. Blanco había declarado en Bilbao que esos grandes nombres no le arredraban: «Ellos dan pedales como yo». Pero también parece que daban pedales un poco más rápido: comenzó la carrera, los favoritos salieron disparados y Blanco no volvió a verlos más. Ni siquiera al día siguiente. El bilbaíno no duró ni una jornada en carrera.

Aunque Vicente Blanco no figura en la clasificación de aquella etapa, él aseguró que había llegado a la meta de Roubaix. Fuera de control, eso sí. Achacó el fracaso a las averías y a las caídas, pero, sobre todo, a una circunstancia clave: «No pude hacer nada contra aquellas fieras bien alimentadas».

El hambre era una obsesión para estos ciclistas pioneros. En aquellos Tours, los ases del pelotón contaban con la ayuda de sus compañeros de equipo y de sus auxiliares, pero muchos corredores participaban por su cuenta en la categoría de *isolés*, aislados: «El corredor sale solo a la aventura», decía el reglamento. Victorino Otero, un cántabro que participó en 1924, fue uno de esos *isolés*: «Ni por cien mil pesetas vuelvo a salir en el Tour. Nosotros no teníamos quién nos diese avituallamiento y debíamos parar en las tiendas para comprar comida. A veces, poco antes de los controles, los «primeras» tiraban pollos enteros, porque les iban a dar otros frescos, y nosotros nos lanzábamos a buscarlos por las cunetas».

Así que cuando Vicente Blanco regresó derrengado y famélico del Tour, los directivos de la Federación Atlética Vizcaína y del Club Deportivo de Bilbao sabían cuál era el mejor homenaje para su héroe ciclista: un banquete. El cronista Julián del Valle relata una comida que se organizó en Balmaseda: abrieron boca con una paella a la vizcaína —Vicente se sirvió «dos platazos con abundantes tropezones»—, siguieron con merluza en salsa verde —«se zampó cuatro tajadas y rebañó la salsa»—, mermejuelas con picante y un chuletón de buey de medio kilo con pimientos. El ciclista royó el hueso del chuletón hasta dejarlo mondo y preguntó si podría comer otro más. Los comensales se rieron: «¡Cuidado, *Bixente*, no te vaya a hacer daño!». Pero *El Cojo* atacó la segunda chuleta y no levantó la vista del plato: «¡Si estoy empezando!». A los postres, cuando sacaron la fruta, la rechazó: «La fruta, *pa* los monos». Satisfecho, se puso a liar un pitillo antes de tomar el café. De pronto, los camareros aparecieron con unas fuentes de loza rebosantes y a Vicente se le petrificó el gesto: quedó con la mandíbula descolgada y se le cayó el pitillo. Luego, con una mueca de dolor, se palpó el estómago hinchado y balbuceó entre sollozos: «No hay derecho a esto, hombre... ¡Haber *avisao* que teníamos arroz con leche!».

«NOS COLOCARÁN PLOMO EN LOS BOLSILLOS»

El padecimiento de los ciclistas rebozó de épica el Tour. Y la épica vende periódicos. Por eso, los organizadores planearon nuevas emboscadas en el recorrido. En 1911 se estrenó el Galibier, un coloso alpino de 2.645 metros de altitud en el que todos los corredores se apearon de la bici, algo bastante común si se leen los diarios de la época. Los cronistas no ensalzaban tanto a Firmin Lambot por sus victorias en las ediciones de 1919 y 1922, sino porque en los diez Tours que disputó «jamás se le vio echar pie a tierra en un puerto». En el Tour de 1926, el más largo de la historia con 5.745 kilómetros, el pelotón de 140 corredores quedó reducido en los Alpes a 79, y luego, en los Pirineos, una tempestad de viento y granizo se tragó a los supervivientes. El belga Lucien Buysse surgió entre las tinieblas como un zombi pedaleante y cruzó la meta de Luchón sin saber en qué posición llegaba. Le contaron que había ganado la etapa y el Tour, pero él temblaba y pedía mantas. Una hora después de su llegada, solo un ciclista más había alcanzado la meta. A las nueve de la noche, habían terminado la etapa veintiún corredores. A las diez apareció en Luchón una camioneta de la que bajaron diez ciclistas embarrados y un chófer indignado: «¡No me quieren pagar el transporte!». Los organizadores corrieron con los gastos y decidieron hacer la vista gorda con los ciclistas que completaron el recorrido en camioneta. Y a medianoche varios automóviles de la organización salieron a buscar a 48 corredores que habían desaparecido, desperdigados por los refugios de las montañas y las posadas de los pueblos. En los primeros años cincuenta también desaparecieron en plena tormenta el italiano Lauredi y el francés Mangin, hasta que los encontraron dentro de un establo, tumbados bajo una vaca en busca de calor. Y los recorridos eran tan difíciles que en 1933 todos los ciclistas llegaron fuera de control en una o en otra etapa, salvo Vicentuco Trueba, un furioso escalador concentrado en metro y medio de ciclista. Los organizadores tuvieron que repescar a los eliminados, para evitar que solo llegara a París *La Pulga de Torrelavega*. Aquel año, Trueba se convirtió en el primer rey oficial de la montaña, pero, reglamento en mano, el triunfo final también debió ser suyo.

Además del itinerario, ese reglamento se convirtió en la otra herramienta de Desgrange para idear nuevos *asesinatos* deportivos. Por esos caprichos de *El Patrón*, Eugene Christophe perdió el Tour de 1912, después de coronar el Tourmalet con muchos minutos de ventaja y la victoria final en el bolsillo. Al iniciar el descenso partió el cuadro. Se echó la bici al hombro y bajó la montaña campo a través hasta alcanzar la aldea de Sainte-Marie-de-Campan, donde encontró una forja y se dispuso a soldar el cuadro. Desgrange abroncó a los herreros, porque le acercaron las herramientas al ciclista y le ayudaron con el fuelle, y dejó un comisario en el lugar para que vigilara la operación. El pobre Christophe, cegado por las lágrimas, tardó cuatro horas en arreglar la bicicleta. Cuando se disponía a salir, el comisario le dijo que, teniendo en cuenta las circunstancias, tan solo le penalizaría con un minuto por la ayuda recibida. El ciclista, que también perdería el Tour siete años después tras romper de nuevo el cuadro en la penúltima etapa, le respondió con serenidad: »*Monsieur*, he perdido cuatro horas, así que puede meterse su minuto por el culo».

La arbitrariedad de los reglamentos produjo todo tipo de episodios chuscos. En 1922, el belga Héctor Heusghem marchaba líder a falta de dos etapas cuando sufrió una avería. Tiró la bici a la cuneta y cogió otra que le prestó un espectador: una maniobra legal siempre que la bicicleta estuviera averiada y el encuentro fuera fortuito. Heusghem llegó a meta y salvó el liderato, pero esa noche los jueces acudieron a su hotel para comunicarle que le penalizaban con una hora «porque la bicicleta que abandonó no estaba completamente inutilizada». Según los jueces, los compañeros de equipo de Heusghem habían buscado un martillo y habían destrozado la bicicleta para justificar el cambio de máquina de su jefe de filas. Heusghem acabó el Tour en cuarto lugar, a 44 minutos de Lambot, y no volvió a levantar cabeza. Roger Lapébie, vencedor del Tour de 1937, resumió en su vejez qué papel jugaban los ciclistas de aquella época:

—No éramos más que ganado. Querían que nos condujésemos como esclavos y que corriésemos como muertos.

Pero la tiranía de Desgrange provocó algunas rebeliones, como el famoso motín de los hermanos Pélissier. Los Pélissier, con el primogénito Henri a la cabeza y con Francis y Charles como brillantes secundarios, formaron una dinastía legendaria en la historia ciclista. Henri se hizo tan popular por sus éxitos deportivos como por las broncas monumentales que le enfrentaron una y otra vez a los organizadores del Tour. El primer roce conocido ocurrió durante la ronda gala de 1920, cuando Henri Pélissier marchaba como líder y fue sancionado con dos minutos por deshacerse de un tubular sin bajarse de la bicicleta. Pélissier, con el orgullo siempre afilado, denunció que aquel castigo era abusivo y vejatorio y abandonó la prueba. En la siguiente primavera, Henri y Francis Pélissier entraron de golpe en la redacción de *L'Auto* para dirimir una disputa sobre primas y contratos. Entraron directos hasta el despacho de Desgrange y en plena disputa Henri agarró de la pechera a *El Patrón*. Varios periodistas acudieron corriendo y consiguieron llevarse a los dos hermanos. Mientras se los llevaban, Desgrange se dirigió al encargado de la sección de ciclismo y le dio una orden en voz bien alta.

—Nunca más vuelvas a citar el nombre de estos dos.

Henri, siempre dispuesto para el desafío, le respondió con una sonrisa cáustica.

—Entonces, hasta el próximo domingo.

El domingo, Henri ganó la París-Roubaix y Francis fue segundo. El lunes, el apellido de los Pélissier ocupaba las ocho columnas de la portada de *L'Auto*. Desgrange asistía con parsimonia a los triunfos de los Pélissier, porque en el fondo aquellos piques encendían la pasión de los seguidores. En el Tour de 1923, por ejemplo, Henri Pélissier dominó la prueba de cabo a rabo, se marcó dos escapadas antológicas por los Alpes y llegó a París con media hora sobre Ottavio Bottecchia y más de una hora sobre Bellenger. Se convirtió en el gran ídolo de los seguidores franceses.

El conflicto más sonado estalló en el siguiente Tour, el de 1924, por otra de las normas absurdas de la carrera. Las etapas partían antes del amanecer, así que los ciclistas se abrigaban hasta que saliera el sol y se quitaban prendas según entraban en calor, pero Desgrange se inventó una regla por la que los corredores no podían desprenderse de ninguna ropa. En el pelotón corría el rumor de que Henri Pélissier utilizaba dos maillots idénticos, de modo que podía desembarazarse de uno de ellos sin que nadie lo notara en la llegada. Un comisario receloso se le acercó por la espalda en la salida de la tercera etapa y le levantó la camiseta, para comprobar cuántas prendas llevaba al inicio y al final de la jornada. Pélissier, indignado por la desfachatez, buscó a Desgrange.

—Si su comisario no me pide disculpas, abandono.

Desgrange intentó ser diplomático, porque no podía correr el riesgo de que el ciclista más popular del momento dejara el Tour. Discutieron un rato y *El Patrón* le prometió que arreglarían el asunto después de la etapa, en Brest. Las aguas quizá podrían haberse calmado al final del día, pero para cuando Desgrange y Pélissier terminaron la discusión el grupo ya había empezado la carrera. Henri interpretó aquello como una sucia jugada de Desgrange para dejarle fuera de combate. Se subió a la bici y arrancó con furia en pos del pelotón, mientras insultaba a gritos a los organizadores y a los jueces de carrera. Henri alcanzó al grupo después de unos kilómetros y se reunió con su hermano Francis y con su gregario Maurice Villa, que entonces marchaba segundo en la clasificación general. Después de un rato de charla, les convenció para abandonar el Tour en cuanto llegaran a la estación de tren de Coutances. Se pusieron en cabeza del grupo, comunicaron su decisión a todos los ciclistas y recibieron una salva de aplausos. El pelotón marchó tras ellos a ritmo de burra, como muestra de solidaridad, y cuando Villa y los Pélissier se apearon de la bici en Coutances fueron despedidos con una ovación de sus compañeros.

Con la rebelión recién salida del horno, el periodista Albert Londres, del diario *Le petit parisien*, entrevistó a los tres amotinados en la cafetería de la estación. Recogió sus testimonios en un célebre artículo titulado «Los forzados de la ruta», una expresión que hizo fortuna y que frecuentemente ha sido mal traducida al español como «los esforzados de la ruta»: los forzados son condenados que reman en galeras o pican piedra, un matiz bastante distinto.

–Le voy a explicar cómo aguantamos el Tour de Francia –le dijo Henri al periodista. Rebuscó en el bolsillo trasero de su maillot, sacó un estuche y lo colocó sobre la mesa. Del estuche extrajo un par de frascos–. Esto es cocaína para los ojos. Y esto es cloroformo, para el dolor de rodillas. Ahora le voy a enseñar las píldoras –y sacó tres botes más–. Ahí lo tiene: funcionamos con dinamita. Y usted no nos ha visto cuando llegamos a la ducha. Dese el placer de asistir a una sesión. Una vez que nos hemos quitado el barro, estamos blancos como sudarios. La diarrea nos deja vacíos. Nos desmayamos en el agua. Cuando nos acostamos, empezamos a temblar con el baile de San Vito y no podemos dormir. Mire, fíjese en nuestros cordones: son de cuero curtido; pues bien, no siempre resisten las etapas, se rompen. Piense en lo que ocurre con nuestra piel. Cuando nos bajamos de la bicicleta, se puede pasar a través de nuestros calcetines y de nuestros culotes, nada se ajusta al cuerpo. Los dedos de los pies se me encogen día a día, y ya no siento seis de ellos. Y espere a que lleguen los Pirineos: es un trabajo bestial y lo encajamos sin rechistar. Hacemos el esfuerzo que no permitiríamos a una mula. No somos unos vagos, pero, por el amor de Dios, que no nos fastidien. Si salgo con un periódico en el pecho para evitar el frío, tengo que llegar a meta con él. Si paro a beber, tengo que sacar el agua de los pozos yo mismo o me penalizarán. Aceptamos el tormento, pero no queremos vejaciones. Un día nos colocarán plomo en los bolsillos, alegando que Dios hizo al hombre demasiado ligero.

EL BIDÓN DE BARTALI Y COPPI

Cuentan que el 10 de junio de 1949 se suspendió la ley de la gravedad. Ocurrió en las rampas del Izoard, durante el Giro de Italia, al paso de *Il Campionissimo* Fausto Coppi. El italiano corría siempre con una sentencia grabada en el corazón y en los muslos, «la gesta más loca es la gesta más bella», y aquel día pedaleaba en pos de una de las hazañas más locas y más bellas de la historia del ciclismo. Se disputaba la última etapa de montaña del Giro, con una incursión por territorio francés y los puertos descomunales de la Maddalena, Vars, Izoard y Montgenèvre en el recorrido. Sin embargo, se esperaba una jornada tranquila. *Il Campionissimo* había machacado a sus rivales durante toda la vuelta, y el segundo clasificado, el viejo Gino Bartali, estaba a más de un cuarto de hora en la clasificación. Coppi ya era dueño del Giro, le bastaba con mantenerse a rueda de un Bartali entregado. Pero Coppi, tocado con la *maglia* rosa, sufrió un arrebato de grandeza, o de locura, y atacó cuando faltaban 192 kilómetros para la meta. Sus rivales, asombrados por aquel gesto insensato, tardaron un rato en reaccionar. Después salieron a por él, pero ya no lo vieron hasta la mañana siguiente. Comenzó una cabalgada de pesadilla, siete horas y media de sufrimiento a través de cuatro puertos alpinos, torturando a unos rivales que maldecían semejante crueldad. ¿Por qué se empeñaba Coppi en martirizarles y martirizarse, si no tenía ninguna necesidad? Pero Coppi sí lo necesitaba, porque él no era solo un campeón: era un artesano del ciclismo, siempre preocupado por imprimir en sus victorias un sello irrepetible. Solo en sus participaciones en el Giro, se calcula que estuvo más de tres mil kilómetros fugado en solitario: la gesta más loca es la gesta más bella. Si la edición de 1949 quedó en la memoria fue precisamente por ese episodio, por la grandeza de una escapada absurda: en un día en que hubiera podido evitar fácilmente el sufrimiento, Coppi ofreció todo su dolor para culminar una obra bella. Por eso era *Il Campionissimo*.

Coppi demostró que el ciclismo puede ser una forma de belleza. Y, quizá por eso, los aficionados italianos, los *tifosi*, envolvieron el relato de sus hazañas con un aura casi sobrenatural. Ese día de 1949, las radios italianas interrumpieron sus programas matutinos para narrar aquel acontecimiento nacional. Los locutores situados en meta recibían noticias confusas, pero con cuatro detalles más o menos confirmados, un poco de imaginación y mucha pasión encendieron los ánimos de todo el país a voz en grito: «*Un uomo solo é al comando, la sua maglia é rosa, il suo nome é Fausto Coppi*»

(«Un hombre solo en cabeza, su camiseta es rosa... es Fausto Coppi»). Muchos piamonteses se habían acercado a las rampas de los cercanos Izoard y Montgenèvre, y las noticias radiadas empujaron a otros cuantos a última hora hasta las cunetas alpinas. El mayor grupo de gente se reunió en el Izoard, adonde las novedades llegaban a lomo de las escasas motos y los coches que circulaban por delante de la carrera: Coppi ya había cruzado en solitario la Maddalena y el col de Vars, y pedaleaba hacia el Izoard, con ocho o nueve minutos de ventaja sobre Bartali. Los *tifosi* formaron un pasillo de honor en la Casse Déserte, el desierto marciano situado cerca de la cima del Izoard, y las crónicas relataron que algunos aficionados barrían la carretera y otros esperaban de rodillas a Coppi.

En el umbral de la Casse Déserte, donde los ciclistas suelen aparecer como guiñapos que se retuercen de cuneta a cuneta, dando zapatazos a los pedales, surgió la silueta elegante de *Il Campionissimo*: marchaba bien sentado en el sillín, con los codos flexionados en ángulo recto y las manos firmes en el manillar, exprimiendo toda la contundencia de los muslos para hacer girar como émbolos sus famosas zancas de cigüeña. Coppi llevaba horas escalando puertos en solitario y subía por un repecho terrible, pero mantenía su pedaleo de talón recto como un estilista de velódromo. En el gesto voraz de su boca abierta se adivinaba el sufrimiento, la asfixia, el corazón a punto de partirse, pero Coppi resistía los dolores y volaba cuesta arriba con un empeño de dignidad. Porque ese día su lucha no era contra otros ciclistas: en realidad, ese 10 de junio de 1949 fue el día en el que Coppi derrotó a las montañas. El día en que los espectadores del Izoard juraron que Coppi flotaba.

Coppi llegó a la meta de Pinerolo con doce minutos sobre Bartali, segundo en la etapa, y casi todos los supervivientes de aquella jornada terminaron a más de una y dos horas. La hazaña de Fausto fue contada de padres a hijos y aún hoy en día se revive todos los años con una prueba cicloturista, la Fausto Coppi, que sigue las huellas de la escapada más famosa de *Il Campionissimo*.

«Los grandes campeones deben pasar en solitario por la Casse Déserte». La sentencia es de Louison Bobet, el francés que ganó los Tours de 1953, 54 y 55, y que fraguó sus victorias más espectaculares en ese paraje del Izoard. Este puerto alpino, en el que Coppi suspendió las leyes de la naturaleza, resulta un escenario propicio para todo tipo de anomalías. Es un intestino de dieciocho kilómetros que absorbe a los ciclistas, los va deshaciendo en rectas interminables y los mastica en curvas de herradura. En la primera parte combina rampas muy duras con zonas de descanso, como si dosificara una descarga progresiva de ácidos para corroer los muslos de los corredores, y a partir de la aldea de Brunissard toma un desnivel tremendo: cinco kilómetros con una pendiente media del 10% y tramos del 15%. Un muro. En medio de un bosque de abetos, la carretera se contrae en una serie de curvas y contracurvas, hasta que sale del arbolado, se despliega a pleno sol y desemboca en el umbral de la Casse Déserte, a 2.200 metros de altitud. Allí arriba, un ciclista con los pulmones expandiéndose al límite siente que el aire se hace viscoso, le cuesta respirar, cada bocanada es un intento por tragar una sustancia algodonosa y caliente. Ante los ojos nublados del ciclista aparece entonces un paisaje alucinante: la carretera serpentea por una ladera pelada, un desierto de pedruscos que parece a punto de derrumbarse sobre los abismos. En esa ladera de gravilla triturada y requemada, brotan aquí y allá unos gigantescos colmillos de piedra, como en una mandíbula de dinosaurio. Un cambio en la altura del sol o una nube pasajera que tamice la luz pueden colorear el aire espeso del Izoard y hacer que el pellejo pétreo de la Casse Déserte mude de apariencia: de ocre pasa a gris ceniza y toma tonos violáceos y desconcertantes.

La maldad refinada de este lugar consiste en que el ciclista llega en plena agonía, con los sentidos trastocados, pero la Casse Déserte le concede un leve descenso para respirar, le permite contemplar ya la cima del puerto y de pronto lo sumerge en un paisaje de delirio. Se requiere fortaleza de ánimo para no ceder, porque después de este descanso envenenado aún faltan tres kilómetros más de subida con rampas del 10%, un trallazo que llega cuando el ciclista ya no tiene capacidad de reacción ni puede soportar más sufrimiento. Por eso, los grandes campeones, los grandes agonistas, destacan en la Casse Déserte: por allí pasaron en solitario Henri Pélissier, Bobet, Bahamontes, Julio Jiménez, Merckx, Ocaña, Thévenet, Hinault, Induráin. Y tanto Coppi como Bartali protagonizaron allí sus mejores gestas en el Tour.

Solo un mes después de flotar en el Izoard durante el Giro de Italia, Coppi volvió a ese mismo puerto en julio de

1949, esta vez durante el Tour de Francia y en compañía de Gino Bartali. En una escapada a través de los Alpes, los dos italianos acababan de eliminar a todos los rivales −Kübler, Robic, Ockers, Geminiani− y se jugaban entre ellos la victoria final del Tour. Bartali, sofocado y jadeante, resistía a duras penas el ritmo de Coppi. Antes de llegar a la Casse Déserte, *Il Campionissimo* aceleró la marcha para quedarse solo, y entonces escuchó la súplica de Bartali.

−Fausto, espérame, por favor.

Coppi giró la cabeza con sorpresa.

−Tú mañana ganarás la etapa y te pondrás de amarillo −le dijo Bartali−. En los próximos años conseguirás muchos más Tours. Yo hoy cumplo 35 años y ya no volveré a ganar nada: déjame esta etapa, Fausto.

Coppi aflojó la marcha. Marcó un ritmo cómodo para Bartali, cruzaron juntos la Casse Déserte, coronaron el Izoard y bajaron a relevos hasta la meta de Briançon, donde Gino entró primero, recibió el maillot amarillo y le agradeció el favor a Fausto con un abrazo de oso. A pesar de sus quejas, el viejo Bartali aún tuvo cuerda para cuatro Tours más: ganó una etapa en 1950, terminó cuarto en la general de 1951 y 1952, y undécimo en 1953, ya con 39 años, dieciséis años después de su primera participación.

Al día siguiente del pacto del Izoard, tal y como Bartali había pronosticado, Coppi se fugó de nuevo, coronó cuatro puertos en primera posición y llegó en solitario a la meta de Aosta, en territorio italiano, donde fue recibido con la marcha triunfal de la ópera *Aida*, de Verdi, con una marea de pañuelos blancos y con el primer maillot amarillo de su vida. Coppi se impuso también en la contrarreloj del penúltimo día y ganó así su primer Tour de Francia. Pero quince días antes había hecho las maletas para abandonar la carrera.

«Coppi deja el Tour», titularon los periódicos en la sexta etapa. El día anterior, el italiano se había caído y había llegado a la meta de Saint Malo con veinte minutos de retraso. Quedaba a 37 minutos del líder Marinelli. Así que nada más cruzar la meta anunció a los periodistas que se marchaba a casa: «Estas etapas llanas del Tour son más duras y peligrosas que todas las que he corrido en los Dolomitas. Hay batalla de principio a final, cortes, caídas. No aguanto más». A la mañana siguiente, Coppi tenía las maletas hechas para volver a Italia, pero los compañeros de equipo y el director Alfredo Binda acudieron a su habitación para rogarle que continuara. En aquellos años el Tour se disputaba por selecciones nacionales, y los italianos habían pactado que Coppi y Bartali no se atacarían en las primeras etapas y que después de los Pirineos el mejor clasificado entre los dos sería el jefe de filas y el otro debería ayudarle. Binda jugó con ese pacto para convencer a Coppi de que no abandonara: «Si te marchas, en Italia dirán que te has negado a ayudar a Bartali, mejor clasificado que tú. Al menos, échale una mano y aprovecha alguna ocasión para ganar tú una etapa. Luego, retírate con la cabeza alta». El propio Bartali le pidió que continuara y al final Coppi accedió. Una hora antes de que comenzara la etapa, abrió la maleta y se vistió de ciclista. Dos días más tarde, Coppi ganó la contrarreloj de

La Rochelle y recobró las ilusiones perdidas. En las etapas pirenaicas ascendió hasta el décimo lugar. Y en los Alpes llegó la remontada milagrosa: el mano a mano con Bartali en el Izoard, donde distanciaron en un cuarto de hora a los demás rivales, la entrada triunfal en Lausana, la victoria en la contrarreloj final y el maillot amarillo en París.

Aquel Tour de 1949 dejó una fotografía para la memoria del ciclismo: el instante preciso en que Bartali, con los ojos cerrados por el sufrimiento y el rostro fruncido en arrugas, agarra el bidón de agua que le tiende Coppi, quien pedalea un metro por delante, lanzado, con la mirada fija en las alturas. Algunos dicen que la foto fue tomada en el Aubisque y otros que en el Tourmalet. Se interpretó que la imagen simbolizaba la reconciliación de dos ciclistas que habían dividido a Italia. Pero ¿quién cedió el bidón a quién? Según se mire la foto, parece que Coppi pasa el bidón a Bartali... o que Bartali se lo pasa a Coppi. ¿Quién tendió el bidón, símbolo de la paz? Durante mucho tiempo, ese fue el enigma nacional de Italia. Bartali decía que en la foto él estaba recuperando el bidón que le había dejado a Coppi. En cambio, según algunos testigos de la escena, Coppi llegó desde atrás, alcanzó a Bartali y le tendió su bidón: «Toma, aún queda agua». La solución parece sencilla si reparamos en los dos portabidones que ambos ciclistas llevaban, uno en el manillar y otro en el cuadro: en la foto, los dos de Bartali están ocupados por bidones, y los dos de Coppi están vacíos. Por tanto, parece lógico que el bidón de la discordia saliera de uno de los portabidones de Coppi, y que fuera el joven quien ofreció ese gesto generoso al viejo.

En realidad, toda esa controversia resulta absurda. A pesar de que los aficionados formaron bandos irreconciliables en torno a Coppi o Bartali, los dos ciclistas siempre se llevaron bien. Eso sí, eran dos antagonistas puros que perseguían los mismos triunfos, de modo que se buscaban las vueltas el uno al otro para acertar con los puntos débiles del contrario. Coppi cuidaba al detalle la preparación física y se rodeó de los mejores masajistas, médicos y dietistas. El viejo Bartali, atormentado por ese despliegue meticuloso, obsesionado por las fórmulas mágicas que pudiera emplear Coppi, vigilaba como un perro de caza cualquier movimiento de su joven rival.

Durante una etapa del Giro, Bartali observó que Coppi bebía de un frasco extraño que después arrojó al monte. Memorizó el lugar exacto, regresó al final de la prueba, rastreó la ladera hasta encontrar el bote y mandó que analizaran su contenido en un laboratorio: no era más que un reconstituyente. De vez en cuando, Bartali enviaba a sus gregarios para que se colaran en la habitación de Coppi y recogieran todo lo que encontraran, frascos, tubos, cajas, supositorios. Bartali confesó sus jugarretas años después: «Me volví tan experto en la interpretación de aquellos productos farmacéuticos que casi podía adivinar cómo se iba a comportar Fausto en carrera». En otra ocasión, un compañero de Bartali vio que el médico de Coppi salía de una farmacia con medicamentos. Bartali le dio instrucciones precisas a su gregario: «Vete a esa farmacia, cuéntale al farmacéutico que vas de parte del médico de Coppi y dile que te ha mandado a por una caja más del mismo producto». A pesar de sus pesquisas, Gino nunca encontró el ingrediente secreto de Coppi. Pero su obsesión le hizo desarrollar teorías extravagantes: sostenía, por ejemplo, que a Coppi se le hinchaba una vena en el hueco trasero de la rodilla derecha cuando marchaba fatigado. Por eso, encargaba a uno de sus gregarios que la vigilara durante las etapas de montaña. Si la vena se hinchaba, Bartali recibía la señal y se lanzaba al ataque.

En los Giros, lucharon uno contra otro sin piedad, pero en los Tours, donde ambos formaban parte de la selección italiana, se apoyaron cuando hizo falta. En 1949, como ya hemos visto, Coppi esperó a Bartali en el Izoard para cederle el triunfo de etapa y el maillot. También en el Tour de 1951, cuando Coppi había perdido todas sus opciones, se convirtió en gregario de Bartali. Y el viejo Gino no dudó en ofrecer su rueda a Fausto cuando éste pinchó en el Tour de 1952: «El silbido de un neumático pinchado me hizo girar la cabeza», contó Bartali. «Mis ojos se encontraron con los de Fausto. El silbido procedía de su rueda. Miró alrededor, como para pedir ayuda a un gregario, y apartó su mirada de la mía como si no quisiera verme. Brillaba un sol cegador. Bajé y me acerqué a él con mi rueda en la mano. No dijo una palabra y yo tampoco abrí la boca. Todo sucedió en medio de un silencio impresionante».

Fausto Coppi y Gino Bartali eran dos grandes campeones y dos compañeros nobles. Pero, como escribió el periodista Alain Fralon, los italianos habían elegido hacerse la guerra a través de estos dos ciclistas. «*Drammatico, ma non serio*». Un bando optó por el joven Coppi, elegante, aéreo, precursor del ciclismo moderno con su alimentación medida al milímetro y las dietas a base de hígado y germen de trigo, con su masajista personal —el ciego Cavana, quien le recomendaba dormir en posición fetal para que los músculos mantuvieran la posición del pedaleo—, sus innovaciones en el material de las bicicletas, la selección de sus *coequipiers* con reparto de funciones muy precisas y una jerarquía meticulosa. Era el Coppi progresista, adoptado como símbolo por la izquierda italiana, tachado de filocomunista, abucheado por algunos seguidores que pintaban insultos en la carretera porque Fausto había abandonado a su esposa y aparecía en público con otra mujer casada, la misteriosa «dama blanca». Ella pasó cinco días en la cárcel y tuvo que viajar a Argentina para dar a luz un hijo de Coppi. El Papa se negó a repartir su bendición al pelotón del Giro porque entre el rebaño estaba Fausto, la oveja negra. Y el bando contrario escogió al viejo Bartali, el león furioso, el atleta corajudo a la antigua usanza que destrozaba a sus rivales con la fuerza bruta, el ciclista racial que nada más cruzar la meta encendía un cigarro y en algunas épocas fumaba cuarenta pitillos diarios, el devoto que levantaba capillas a la Virgen, el símbolo escogido primero por Mussolini como estandarte del fascismo y adoptado después por la democracia cristiana.

Ni Bartali ni Coppi pedaleaban en nombre de ninguna doctrina. Ellos solo buscaban la gloria deportiva, también el dinero, incluso la belleza en sus triunfos. Pero el deporte siempre ha sido una baza golosa para los regímenes totalitarios. Y Mussolini se apropió pronto de Gino Bartali, un campesino pobre transformado en héroe, para presentarlo como modelo del nuevo hombre propugnado por el fascismo. Mussolini pretendió incluso cambiar el distintivo del líder en el Giro de Italia, porque consideraba afeminada la *maglia* rosa: «Ese color es adecuado para las bragas de las señoras, no para premiar las hazañas de superhombres». Bartali era un chaval de 22 años cuando ganó con una autoridad deslumbrante el Giro de 1936. También conquistó el Giro de 1937. Y ese mismo año debutó en el Tour por la puerta grande: primero batió el récord de la ascensión al Ballon de Alsacia; luego, en la séptima etapa, se escapó en solitario en el mítico Galibier, venció en la meta de Grenoble y se vistió el maillot amarillo. El joven italiano distanciaba en doce minutos a sus rivales Vissers, Maes y Lapébie, pero quería más. El propio Mussolini le telefoneó para felicitarle, pero también para espolearle y pedirle que conquistara para los italianos la prueba más querida por los franceses. En aquellos años de nacionalismos inflados y tensiones prebélicas, Bartali cargaba con el honor de la patria en territorio enemigo. Al día siguiente la selección italiana organizó una emboscada en la subida al puerto de Laffrey: Bartali, Rossi y Camusso atacaron en tromba y descolgaron a los demás favoritos. Quedaba mucha distancia hasta la meta, pero Rossi y Camusso pedaleaban a todo gas para aumentar las diferencias y dejar el Tour sentenciado. En un descenso, los italianos atravesaron un puente de madera mojado por las salpicaduras de un arroyo alpino. Rossi patinó. Camusso tropezó con él. Bartali no pudo esquivarlos. Y los tres saltaron por encima del parapeto y cayeron en una cabriola escalofriante hasta el torrente. Rossi y Camusso se levantaron aturdidos y doloridos, pero encontraron sus bicicletas y treparon con ellas por las rocas hasta la carretera. De pronto, Camusso giró la cabeza y vio una mancha amarilla en el arroyo: era Bartali, recostado en el arroyo, inmóvil. Camusso bajó dando traspiés, llegó hasta Gino y lo arrastró fuera del agua. Bartali estaba conmocionado, con la cara empapada en sangre y las ropas desgarradas. Entre Rossi y Camusso consiguieron espabilarlo y subirlo a la carretera, cuando los perseguidores ya les habían adelantado. Lo montaron en la bici y arrancaron. Rossi, malherido, se retiró a los pocos kilómetros, pero Camusso y Bartali sufrieron lo indecible para llegar hasta la meta de Briançon, donde aparecieron con doce minutos de retraso. Bartali había salvado el liderato por un puñado de segundos. Pero esa noche no pegó ojo, por las heridas que le laceraban las rodillas y el pecho. Salió en la siguiente etapa, donde perdió veinte minutos y cualquier opción de victoria. Lo intentó un día más, pero ninguna arenga patriótica podía aliviarle los terribles dolores, y se bajó de la bici. Cuando volvió a Italia, relató su accidente a los periodistas: «Dios estaba conmigo en aquel arroyo helado», dijo. «Sin Él, mi caída podría haber sido mortal». Bartali se ganó así sus apodos: en Italia le llamaban *El Piadoso*; en Francia, *El Monje Volador*.

El Monje voló sin trabas en el Tour del año siguiente. Bartali quería un tercer triunfo consecutivo en el Giro, pero el gobierno fascista, necesitado de propaganda y triunfos en el extranjero, le obligó a renunciar a la ronda italiana para preparar bien el Tour de 1938. Y Bartali se empleó a fondo: arrasó en los Alpes, se quedó solo en la Casse Déserte y acabó con dieciocho minutos de ventaja sobre Vervaecke y veintiocho sobre Cosson, quien alucinaba con las costumbres de Bartali: «Es increíble. Nada más llegar a meta, antes de ducharse, Gino enciende un cigarro. Podría decirse que ha ganado el Tour fumando en pipa».

En 1939, en vísperas de la Segunda Guerra Mundial, el gobierno fascista no permitió que los ciclistas italianos viajaran a Francia. Tampoco los alemanes —que hasta entonces corrían con la esvástica en el maillot— ni los españoles se presentaron en la salida del Tour. Y Bartali tuvo que quedarse en casa sin poder defender su título. Entre el Tour de 1939 al que no pudo acudir, los siete que se suspendieron por culpa de la guerra y el primero de la posguerra, en 1947, en el que tampoco participó, Gino Bartali perdió la oportunidad de pelear por nueve Tours. Aún fue capaz de vencer de nuevo en la ronda gala, en 1948, diez años después de su primer triunfo, una hazaña nunca repetida. Pero la guerra mutiló su palmarés sin remedio. Y no solo el suyo. En 1940 Bartali intentó consolarse con un tercer triunfo en el Giro, que todavía se disputó mientras Europa ardía en llamas. Sin embargo, en el equipo de Bartali corría un debutante de 20 años, un tal Fausto Coppi. Y Bartali tuvo que agachar la cabeza ante el empuje de aquel chaval: Coppi se convirtió en el ganador más joven de la historia del Giro.

Durante la guerra se dejaron de celebrar cinco ediciones del Giro y siete del Tour. Tampoco se disputaron otras carreras principales. ¿Hasta dónde habrían llegado Coppi y Bartali, sin ese destrozo en su palmarés? Al final de su carrera, Coppi había ganado dos Tours, cinco Giros, tres Campeonatos del Mundo —uno en carretera y dos en pista—, ocho campeonatos de Italia, tres Milán-San Remo, una París-Roubaix y el récord de la hora. Se le consideró el mejor corredor de la historia hasta que apareció Eddy Merckx, y los italianos están convencidos de que habría sido el primer corredor en ganar cinco Tours o más, el ciclista con el historial más fabuloso de todos los tiempos. Bartali, por su parte, cosechó dos Tours, tres Giros, cuatro Milán-San Remo y tres Giros de Lombardía.

Desde 1939 hasta 1946, los únicos vencedores que entraron en París conducían tanques, no bicicletas. Y cuando por fin callaron los cañones, el apodo de Bartali ya no era *El Monje Volador*, sino *Il Vecchio*, el viejo. Y el Coppi que ganó su primer Giro siendo casi un crío ya se acercaba a la treintena.

Bartali aún tuvo arrestos para conquistar su tercer Giro en 1946 y su segundo Tour en 1948 —con un ataque feroz en el Izoard, cómo no—. Coppi sumó cuatro Giros más en la posguerra. Ganó el Tour de 1949 después de acompañar a Bartali en el Izoard. Perdió el de 1951, abatido por la reciente muerte en carrera de su hermano Serse, también ciclista profesional, aunque fue capaz de continuar en carrera, cumplir su cita con el Izoard, cruzarlo en solitario y ganar la etapa llorando. Al año siguiente, justo el día en que se cumplía el aniversario del fallecimiento de Serse, Fausto destrozó a sus rivales en la primera etapa con final en alto de la historia del Tour de Francia, en Alpe d'Huez, y ganó aquella edición de 1952 con todos sus rivales a media hora, unas diferencias que nunca más se han repetido.

La guerra mutiló el palmarés de Coppi y Bartali, pero en esos años los dos campeones disputaron algunos de los kilómetros más intensos de sus vidas. En 1942, mientras los aviones ingleses atacaban Milán, Coppi aprovechó los momentos de calma entre un bombardeo y otro para salir con la bici al velódromo de Vigorelli y batir el récord de la hora. Después fue reclutado y luchó en el frente de África del Norte, donde fue capturado. Lo enviaron con un grupo de prisioneros italianos a un campo de concentración en Inglaterra, y allí tuvo la suerte de que los oficiales británicos lo reconocieran, le dejaran una bicicleta y le permitieran entrenarse. Mientras tanto, Bartali pedaleaba por las carreteras de su Toscana natal. Aquella imagen de un campeón solitario, entrenándose en plena guerra para mantener la forma, componía una estampa entre ingenua y romántica. Pero aquel ciclista de apariencia inofensiva era una pieza secreta en el tablero de la guerra.

Mussolini había adoptado a Bartali como símbolo del régimen fascista, pero Gino, católico hasta la médula, participaba en una organización clandestina que se dedicaba a salvar a judíos italianos de la persecución nazi y fascista. Mussolini, siguiendo el ejemplo de sus amigos nazis, había iniciado antes de la guerra una persecución feroz contra los judíos. En 1938 el gobierno fascista promulgó leyes raciales: los judíos fueron obligados a abandonar sus puestos en la administración pública, las consultas de médicos, las cátedras y los comercios. Después el gobierno desarrolló una campaña sistemática para expoliar todos sus bienes. Y al final los nazis llegaron a Italia para organizar una maquinaria eficaz de exterminio. Metieron a miles de judíos italianos en vagones de ganado y los enviaron por tren hasta los campos de exterminio de Europa central.

En la Toscana, un judío llamado Giorgio Nissim organizó una red clandestina para facilitar la huida de sus correligionarios a países seguros o para buscarles escondites fiables en la región. En el otoño de 1943, las autoridades detuvieron a muchos de los colaboradores de Nissim y los deportaron a los campos de exterminio. La red quedó muy tocada, a punto de desaparecer. Pero entonces Nissim encontró una ayuda crucial: desde el arzobispo de Génova hasta los monjes oblatos, desde los frailes franciscanos hasta las monjas de clausura y los párrocos de las aldeas, la estructura católica se puso en marcha para trabajar en el salvamento de judíos. En los sótanos de las abadías y los conventos se instalaron imprentas clandestinas para elaborar pasaportes falsos. Solo faltaba un enlace que transportara las fotos y los papeles hasta esas imprentas y que después llevara los documentos a los judíos en peligro. Ahí entraba Gino Bartali: ninguna patrulla se atrevería a detener el entrenamiento de un héroe nacional para registrarlo. De modo que Bartali pedaleaba hasta los conventos, pasaba con su bici a una sala, soltaba el sillín y el manillar y metía los papeles dentro de los tubos de la bicicleta. Después volvía a las carreteras y recorría las parroquias de la región para entregar los documentos a los curas compinchados, quienes luego se los pasaban a los judíos. Otras veces, los entrenamientos de Bartali servían de guía para indicar a los fugitivos cuáles eran los caminos más fiables para escapar o para llegar hasta algún refugio seguro.

Gino Bartali murió en mayo de 2000, a los 86 años, y a su entierro en Florencia acudió una muchedumbre espectacular. Tres años después de la muerte de Bartali, los hijos de Giorgio Nissim sacaron a la luz varios cuadernos de apuntes de su padre, con todos los detalles de aquellas operaciones para salvar a los judíos, y entonces se conoció la verdadera talla heroica de Bartali. Se sabía que los entrenamientos por la Toscana de 1943 y 1944 le valieron para mantener la forma, para completar la proeza de ganar el Giro de 1946, diez años después de su primer triunfo en la ronda italiana, y para ganar el Tour de 1948, también a los diez años de su primera victoria. Pero pasaron sesenta años antes de que se conociera el verdadero valor de esos kilómetros por las rutas de Toscana: había contribuido a salvar la vida de 800 judíos. Bartali nunca habló de ello. Se limitó a cumplir con su deber.

LA BORRACHERA DEL MUSULMÁN

El ciclista argelino Abdel Kader Zaaf miraba al cielo todas las mañanas. Buscaba un sol feroz, como el del Sáhara, que aplatanara a todos sus rivales y le diera una oportunidad para alcanzar la gloria. En los primeros años 50 el ciclismo vivió una edad de oro: en el pelotón coincidieron los italianos Bartali, Coppi y Magni, los franceses Robic, Bobet, Geminiani y Anquetil, los suizos Koblet y Kübler, los belgas Ockers, Impanis y Van Stenbergen, el español Bahamontes y el luxemburgués Gaul. Probablemente nunca se ha reunido tal constelación de estrellas sobre la carretera. Pero entre las proezas de los grandes ases quedaban resquicios para que brillaran otros ciclistas, menos poderosos pero muy populares en aquella época, como el caso de Zaaf. El argelino se ganó el cariño de la afición por sus extravagancias y sus bravuconadas, por su devoción musulmana que le hacía postrarse para rezar en las salidas de algunas etapas; pero él quería adornar su pequeño palmarés —varias etapas en las vueltas a Argelia y Marruecos, alguna victoria modesta en Francia— con un gran triunfo en el Tour, para que el público reconociera su talento ciclista por encima de curiosidades exóticas.

En el Tour de 1950, en la salida de la etapa Perpiñán-Nimes, Zaaf se paseaba inquieto. El calor apretaba con furia y los ciclistas arrugaban la cara en muecas de agobio ya antes de subirse a la bicicleta: era el día. La carrera arrancó con pereza y Zaaf dejó que el bochorno fuera tostando al pelotón, hasta que faltaron cien kilómetros para la meta de Nimes: entonces, cuando el sol del mediodía se derramaba como plomo derretido sobre la tierra, Zaaf sintió palpitaciones nerviosas y atacó, convencido de que había llegado la hora de su gran triunfo, *inshallah*.

El francés Molines se pegó a su rueda, pero el argelino no se preocupó demasiado. Aquella etapa se la llevaría quien mejor resistiera un esfuerzo máximo a cuarenta grados, y Zaaf no dudaba de que Molines acabaría fundido. El argelino, que soñaba con ser el primer africano en ganar una etapa del Tour, impuso un ritmo muy fuerte y la pareja pronto consiguió muchos minutos de ventaja. Detrás, en el pelotón, la que parecía una jornada vulgar se convirtió en una de las más decisivas por culpa del calor: el suizo Ferdi Kübler vio sofocados a Bobet y Geminiani, les atacó y les robó un puñado de minutos que le servirían para ganar el Tour. Pero, alejados de estas grandes intrigas, Zaaf y Molines pedaleaban en busca de una victoria que nunca más tendrían al alcance. Y, sobre todo, bebían. Como si fuera una etapa montañosa, los espectadores les ofrecían agua, les pasaban esponjas y les regaban con cubos y mangueras. En la cima de un repecho, Zaaf agarró una botella que le tendió un aficionado y le pegó un trago ansioso. El argelino sintió un sabor fuerte y trató de escupirlo, pero ya había bebido suficiente: era vino de Corbières. Y Zaaf, como buen musulmán, nunca había probado el alcohol.

Al rato, el cuello se le volvió elástico y no le sostenía la cabeza, ese globo extraño que giraba solo; el paisaje se convirtió en un borrón, y una flojera voraz le vació las piernas. Una versión de los hechos dice que el argelino, ansioso por triunfar aquel día, se había cargado de ortedrinas, y que estos estimulantes remataron el cóctel de alcohol, insolación y esfuerzo. Zaaf, aturdido, pedaleaba cada vez más despacio y perdió de vista a Molines. Luego perdió el equilibrio: dio bandazos de cuneta a cuneta hasta que se desplomó sobre el asfalto. Se levantó como un borracho, con las rodillas temblando. Subió a la bici y arrancó de nuevo... en dirección contraria, hacia el pelotón. Los espectadores se le echaron encima, lo detuvieron y lo tumbaron a la sombra de un árbol, donde Zaaf por fin se desmayó. Allí lo estuvieron abanicando, hasta que una ambulancia lo recogió y lo llevó al hospital de Nimes.

Los médicos decidieron que Zaaf pasara un día en observación y el argelino se negó a gritos: él quería llegar a París. A las seis de la mañana del día siguiente, Zaaf saltó de la cama, huyó del hospital, recuperó su bicicleta y su ropa de ciclista, y se presentó en la salida, donde sus compañeros de pelotón le recibieron con una salva de aplausos y carcajadas. Jacques Goddet, director de carrera, le anunció que estaba descalificado porque la víspera no había completado los últimos 19 kilómetros. «Si ese es el problema», replicó Zaaf, «volveré hasta allí ahora mismo y recorreré esos malditos kilómetros». Cuando se subió a la bici para cumplirlo, los ciclistas volvieron a aplaudir y el argelino pedaleó entre sollozos y lagrimones.

Zaaf tuvo otra oportunidad al año siguiente. Tampoco ganó ninguna etapa, pero sus demarrajes de dinamitero loco reventaron el pelotón y dejaron sin opciones al mismísimo Fausto Coppi. En ese Tour de 1951, Zaaf se escapó en una jornada irrelevante, camino de Montpellier, y contaba con que los favoritos consentirían su fuga. Pero de pronto Louison Bobet y sus gregarios se lanzaron a por él y pillaron desprevenidos a los demás rivales. Se organizó un grupo cabecero que comenzó a aumentar las distancias con el pelotón, y el suizo Hugo Koblet, líder de la carrera y ganador final, arrancó a la desesperada para no perder el maillot. Koblet se enganchó al grupo por los pelos. Pero Fausto Coppi, afectado por la reciente muerte de su hermano Serse y descentrado durante todo el Tour, marchaba a cola de pelotón y no fue capaz de reaccionar. Coppi perdió aquel día más de treinta minutos.

Pero cuatro días después quiso triunfar en honor de su hermano muerto, y eligió hacerlo a lo grande, fiel a su estilo: quería pasar en solitario por la Casse Déserte y la cima del Izoard. La primera parte de esa etapa era llana y Coppi, descartado para la clasificación general, quería abandonar pronto el pelotón y llegar con ventaja a las montañas. Para organizar esa fuga temprana, el italiano conversó en la salida con Abdel Kader Zaaf, el mismo cuyos ataques le habían hecho perder el Tour: «Voy a atacar desde el principio. ¿Quieres venir conmigo?». El argelino, siempre necesitado de que se le reconocieran sus méritos ciclistas, aceptó encantado. Años más tarde, cuando ya se había retirado del ciclismo, Zaaf confesó en una entrevista que la petición de ayuda de *Il Campionissimo* fue uno de los mayores honores de su vida. Aquel día el argelino se entregó hasta el último gramo de fuerza para corresponder a la confianza de Coppi. Los dos ciclistas se fugaron pronto y Zaaf tiró en el llano hasta vaciarse, sin guardar ninguna reserva para beneficio propio. En el primer puerto del día, el argelino se quedó atrás, derrengado, mientras Coppi volaba hacia las cumbres del col de Vars y del col d'Izoard. El italiano ganó la etapa roto en lágrimas por el recuerdo de su hermano, y el argelino terminó a 37 minutos, exhausto pero feliz.

Zaaf disfrutó del respeto que se había ganado entre los grandes. Durante aquella escapada camino de Montpellier que él mismo fabricó y que hundió a Coppi, el argelino se acercó a Hugo Koblet, dominador absoluto de la carrera, para proponerle un pacto: «Hugo, si me dejas ganar la etapa, yo te dejo ganar el Tour». Zaaf nunca ganó nada. Pero consiguió sin duda el cariño del público. En 1951, todos los seguidores conocían el nombre y las aventuras de aquel ciclista que había acabado el Tour por única vez en su vida, clasificado en el puesto 66 entre los 66 corredores supervivientes: Abdel Kader Zaaf.

EL BELLO Y EL BESTIA

A principios de los cincuenta el pelotón cayó bajo el dominio de los suizos Ferdi Kübler y Hugo Koblet, la temible pareja K. Ambos eran vecinos de Zúrich y ganaron un Tour cada uno. Pero ahí se acaban las similitudes, porque Kübler, el caballo, y Koblet, el dandi, eran los gemelos más diferentes del mundo.

Ferdi Kübler, un tiarrón como un armario, de rostro cetrino y nariz cartabónica, se retorcía sobre la bici como si pedaleara bajo ataques de epilepsia, con un ribete de espuma blanca en los labios. A Hugo Koblet, un galán de pelo rubio ondulado y ojos verdes, lo comparaban con James Dean. Sobre todo después de que en 1964 se matara en las mismas circunstancias sospechosas que el actor: empotrado contra un árbol mientras circulaba con su Alfa Romeo blanco por una recta larga, a orillas del lago de Zúrich. Koblet brilló con una intensidad cegadora y luego se apagó de manera fulminante. Con 24 y 25 años ganó el Tour, el Giro, la Vuelta a Suiza, el Gran Premio de las Naciones. Se tomó unas vacaciones de invierno en México y regresó con una debilidad extraña que nunca más le permitió seguir el ritmo de sus adversarios. Se trataba de una enfermedad venérea. A partir de 1952, con 26 años, Koblet se descolgaba en todos los repechos. Intentó resucitar, pero en el Tour de 1953 sufrió una caída muy grave en el descenso del Soulor, y en 1954 encendió sus últimas bengalas en las etapas llanas, hasta que otra caída le hizo abandonar. Jamás volvió al Tour, pero todavía se arrastró por las carreteras cuatro años más. Su nombre aún tenía cartel, y Koblet se aferró al ciclismo —sobre todo a las carreras en pista— como la única manera de seguir ganando dinero para mantener su tren de vida: debía pagar coches formidables, mansiones, viajes lujosos con su mujer, la modelo Soja Bühl. Después de retirarse en 1958, montó negocios en Suiza y Venezuela, pero se fueron al garete. Dilapidó su fortuna, sufrió el abandono de aquellos supuestos amigos que se habían arrimado al brillo de su gloria, mantuvo broncas constantes con su mujer. Por todo eso, el accidente mortal con el Alfa Romeo no pareció un accidente. Hugo Koblet, como en el caso de James Dean, dejó un cadáver joven y bello. Y esa muerte tan trágica conservó la imagen viva del estilo aristocrático de Koblet, a quien bautizaron como el *pedaleur de charme* (el ciclista con encanto) o el Mozart de los pedales.

El suizo interpretó su sinfonía maestra entre Brive y Agen, en una etapa vulgar del Tour de 1951. Koblet se había impuesto ya en la primera contrarreloj y parecía el candidato más fuerte para la victoria final. En el kilómetro 37 de aquella etapa anodina, Koblet atacó en una tachuela de tercera y nadie hizo caso a la extravagancia. Pero pronto alcanzó los tres minutos de ventaja y entonces el pelotón se alarmó de verdad: los equipos italiano, francés y belga tocaron a zafarrancho, los gregarios pasaron a la cabeza y tiraron del pelotón hasta ponerlo en fila india. Se relevaron sin tregua, sincronizados como un motor de pistones y bielas humanas, y parecía que Koblet pronto sería devorado por la máquina. Sin embargo, los jefes de filas pedían referencias y veían que durante kilómetros y kilómetros la ventaja del suizo se mantenía en los tres minutos que le habían cedido al principio. Sabían que Hugo Koblet estaba muy fuerte, pero era imposible que en solitario aguantara el ritmo del grupo durante mucho más tiempo. En cada punto de referencia, sin embargo, se repetía la misma ventaja, como si todos los cronómetros se hubiesen bloqueado en esa cifra. Tres minutos. Los perseguidores pedaleaban obsesionados, rabiosos, como el burro que avanza tras una zanahoria que se mantiene a una distancia invariable. Siempre tres minutos. Los líderes se asustaron y llegaron a un acuerdo para colaborar en primera persona y anular la fuga de Koblet. La escena no se ha repetido en el Tour: los favoritos en pleno, Coppi, Bartali, Magni, Bobet, Robic, Ockers y Geminiani, pasaron a la cabeza del pelotón y se relevaron a muerte. Todos contra Koblet. La persecución duró 140 kilómetros, tres horas y media de escapada agónica sin un momento de respiro. Antes de entrar en Agen, Hugo repitió la ceremonia de todos los días: sacó una esponja húmeda y un peine del bolsillo, se lavó la cara, se peinó, y cruzó la meta con dos minutos y medio sobre el pelotón.

Las entretelas de esta extraordinaria fuga no se conocieron hasta varios años más tarde. Resulta que Koblet había terminado la etapa de la víspera con unos dolores terribles, sin poder sentarse apenas en el sillín por culpa de un gran forúnculo. Una vez en el hotel, Alex Burtin, director del equipo suizo, no quiso llamar al médico oficial del Tour, por temor a que la noticia se filtrase. Telefoneó a otro médico de la ciudad, le pidió que acudiera con urgencia al hotel pero le hizo creer que era él mismo quien padecía el forúnculo. Cuando llegó el médico, Burtin le condujo a otra habitación distinta y le hizo jurar que guardaría como secreto profesional la identidad del enfermo. Abrieron la puerta y allí estaba Hugo Koblet, dolorido y muy nervioso. El diagnóstico fue contundente: «Hay que sajar el forúnculo». Pero aquella operación dejaría a Koblet fuera de carrera. Imposible. Burtin pagó al médico, le agradeció la visita y llamó a un segundo doctor. El diagnóstico se repitió: «Hay que abrirlo». Ante la desesperación de los suizos, este médico ofreció un remedio para aliviar el dolor: supositorios a base de cocaína. Como en aquellos años no existían controles antidopaje, Burtin y Koblet aceptaron el remedio.

«Al día siguiente, le dije a Hugo que intentara pasar la etapa lo más tranquilo posible», recordaba años más tarde Burtin. «Hizo todo lo contrario: al poco de empezar la etapa, en una pequeña cota, salió del pelotón con un ritmo de locos. En cuanto los jueces me dejaron paso, aceleré con el coche para buscarlo y echarle la bronca por semejante estupidez. Pero me quedé perplejo. Hugo rodaba concentrado, a tope, con un pedaleo redondo y perfecto, tirando de los talones, con los codos doblados y pegados al cuerpo, la cabeza metida en el manillar. Era un espectáculo fantástico. Durante algunos kilómetros conduje el coche varios metros detrás de él, admirado, sin acercarme, por temor a romper la magia de aquella escena. Por fin, después de un rato, me puse a su altura y le hablé por la ventanilla. "Hugo, ¿qué haces?". Me respondió sin girar la cabeza: "No lo sé". "¿Hasta dónde piensas seguir a esta velocidad?". Entonces sí me miró, con media sonrisa: "Hasta la meta, claro"».

Nada más pisar la línea de llegada en Agen, Hugo frenó la bici en seco. Rebuscó en otro de sus bolsillos, sacó un cronómetro, lo puso en marcha y se sentó a esperar al pelotón. No se trataba de una fanfarronada, sino de una protesta. Unos días antes, en la primera crono del Tour, los jueces publicaron una clasificación en la que Louison Bobet ganaba la etapa con un segundo de ventaja sobre Hugo Koblet. El director suizo Burtin no podía creerse aquellos registros oficiales, porque sus ayudantes habían tomado referencias en varios puntos de la etapa y Koblet había marcado los mejores tiempos en todo el recorrido. Sin comunicarle sus sospechas a Koblet, Burtin se acercó al puesto de los cronometradores, que en ese momento estaban sumergidos en sus cálculos y lo mandaron a la porra. Un comisario de la carrera echó a Burtin sin contemplaciones:

«Usted no pinta nada aquí». De vuelta al hotel, Burtin encontró a Koblet con un cuaderno y un lápiz. «Esto no cuadra», dijo el ciclista. «Me han robado un minuto. Le he sacado 59 segundos a Bobet». Los cálculos eran irrefutables: Koblet, después de doblar a los corredores que habían partido tres y seis minutos antes que él, había llegado a la meta a la vez que un ciclista que había salido nueve minutos antes, y sin embargo en la clasificación de la etapa solo le sacaba ocho. Era la hora de la cena, pero Burtin y Koblet salieron en busca de Jacques Goddet, director del Tour, a quien encontraron en el restaurante del hotel. Goddet escuchó las explicaciones, ordenó telefonear a los cronometradores y los reunió a todos en una sala. Después de dos horas de revisar papeles, confrontar referencias, sumar y restar, encontraron por fin el minuto perdido de Koblet. Rectificaron las clasificaciones, atragantaron la cena de los periodistas con la noticia y Hugo tuvo que buscarse por las calles un restaurante abierto a esas horas de la noche para celebrar su primera victoria de etapa en el Tour.

Por eso, después de su escapada triunfal, Koblet puso en marcha su cronómetro en cuanto cruzó la meta de Agen. Y constató que el grupo entraba a dos minutos y veinticinco segundos. «Ha obtenido una pequeña ventaja después de un esfuerzo descomunal», dijo Marcel Bidot, director del equipo francés. La exhibición de Hugo tuvo un reflejo pequeño en la clasificación, sí, pero había acogotado a sus rivales. «La única esperanza de batirle», declaró *Il Campionissimo* Coppi, «consiste en esperar que Hugo pague mañana el esfuerzo y sufra un desfallecimiento». Y otros, como

Raphael Geminiani, reconocieron sin tapujos la demostración de poder de Koblet: «Gana las carreras como quiere. Si Hugo continúa así, venderé mi bici». Efectivamente, todos ellos fueron triturados en los Pirineos, en los Alpes y en las cronometradas. Al llegar a París, Koblet aventajaba en veintidós minutos a Geminiani, segundo clasificado, veinticuatro a Lazarides, veintinueve a Bartali y casi cincuenta a Coppi. Y sin despeinarse.

Si Hugo Koblet era un seductor, Ferdi Kübler era un caballo. Una bestia rebosante de potencia que llamaba *cowboys*, sin que se supiera muy bien por qué, a los corredores mediocres que no arriesgaban. Él, por el contrario, era una bomba de rabia, un coloso que pedaleaba en estado de ira y sacando espumarajos por la boca.

Ferdi Kübler marchaba como líder en la edición de 1950, un año antes del triunfo de Koblet. En la calurosa etapa de Nimes, aquella en la que el argelino Abdel Kader Zaaf soñó con ser el primer africano en llevarse un triunfo del Tour y acabó borracho, en esa misma etapa Kübler había dado un golpe formidable al joven Louison Bobet, quien cedió diez minutos aturdido por el bochorno. Pero Bobet, futuro ganador de tres Tours, devolvió el golpe en los Alpes y puso contra las cuerdas a Kübler. Se fugó en el col d'Izoard, aclamado por los seguidores franceses, que estaban descubriendo a su héroe de la década en un paisaje como la Casse Déserte. Fue el propio Bobet quien acuñó la leyenda de que los grandes campeones pasan en solitario por ese desierto. Se alejó el francés, se acallaron los gritos entusiastas y un silencio tenso envolvió de nuevo la Casse

Déserte: los aficionados miraban sus relojes, esperando que el líder suizo tardara bastante en aparecer.

No veían que nadie se acercara, pero comenzaron a escuchar unos gritos tremendos que llegaban de lejos, unos alaridos que no parecían humanos. De pronto, en el umbral de la Casse Déserte surgió un gigantón vestido de amarillo, encorvado sobre la bici y empujándola con pies, manos y riñones. Kübler, con su característica espuma colgándole de la boca, se daba palmadas en los muslos y aullaba como si estuviera poseído, en su dialecto de la Suiza germánica, el *schwyzerdeutsch*. Ferdi Kübler pasó ante los espectadores con una mirada asesina y profiriendo insultos. No consiguió atrapar a Bobet, pero en meta tan solo perdió tres minutos.

Entre los espectadores atónitos de la Casse Déserte estaba el periodista Maurice Vidal, quien después de la etapa entrevistó a Kübler y recogió sus chapurreos en francés.

–Ferdi, ¿por qué gritabas en el Izoard?

–Ah, sí... Ferdi gritar para ir más rápido. Yo necesito animar.

–¿Y qué gritas?

–Depende de día. Hoy gritaba: ¡cerdo francés!

–¿Por qué? ¿Tienes algo contra los franceses?

–No, pero Bobet francés. Yo debo coger Bobet, entonces gritar ¡cerdo francés! Bueno para la moral de Ferdi.

Al día siguiente quedaba todavía un terreno peligroso y Kübler, preocupado por la fuerza de aquel joven Bobet, quiso atar en corto al niño mimado de los aficionados franceses. El suizo sabía que Bobet era un corredor de nervios frágiles, agobiado por la presión de haberse convertido en favorito, y quiso aprovecharlo.

El pelotón rodaba tranquilo cuando de repente se oyeron unos gritos. «¡Bobet! ¡Bobet!». Era Ferdi Kübler, que avanzaba por un costado del pelotón buscando al francés. Los corredores se miraban divertidos, intentando adivinar qué numerito iba a montar el excéntrico maillot amarillo. Kübler llegó a la par de Bobet, miró alrededor para asegurarse de que se había ganado la atención de todo el grupo y comenzó a gritar a Louison: «¡Bobet! ¿Tú preparado? ¡Yo escapar muy pronto! ¡Ferdi muy fuerte hoy, tú sufrir!». Los ciclistas se partían de risa y el pobre Bobet, alucinado, no sabía dónde meterse. Sonreía, miraba para otro lado, intentaba escabullirse dentro del pelotón, pero Kübler pedaleaba a su rueda gritando sin cesar: «¡Bobet, tú sufrir hoy! ¡Sufrir mucho!». El francés no levantaba la vista de su rueda delantera y siguió huyendo de Kübler, hasta que llegó a la cabeza del pelotón. Bobet ya no tenía dónde refugiarse y el suizo, por supuesto, se reunió con él. Los dos quedaron solos, cara a cara, al frente de todos los corredores, que seguían la escena muy atentos. Kübler desenfundó: «¡Mira, Bobet! ¡Ferdi caballo!». Entonces, Kübler se golpeó el pecho con el puño varias veces, agarró con fuerza el manillar, lanzó un relincho y salió disparado con un último grito: «¡Bobet, tú sufrir!».

Las miradas de los ciclistas se clavaron en el francés, esperando su reacción. Pero Bobet, desquiciado, no sabía si perseguir a aquel loco o dejarle marchar. Los demás favoritos se lanzaron a por Kübler, pero Bobet, descentrado, esperó la ayuda de sus compañeros para salir en persecución del suizo. Ya era tarde. En meta, perdió seis minutos y hasta la segunda plaza del podio: la coz del purasangre Kübler le dejó temblando durante los tres siguientes años. Esa tarde, el suizo lo dejó bien claro ante los periodistas: «¡Ferdi no como los demás!».

«OJALÁ NUNCA HUBIERA GANADO EL TOUR»

Después de cuarenta años de silencio, Roger Walkowiak aceptó hablar de nuevo ante una cámara. En el salón de su casa, aquel anciano menudo repasaba anécdotas ciclistas, y la cámara recordaba, a pesar de las canas y las arrugas, aquella cara redonda de niño tímido —pelo ensortijado, orejas desplegadas y una sonrisa apenas esbozada—, aquella cara infantil que a mediados de los años cincuenta se asomó, asustada por una fama repentina, a todos los diarios, las revistas y los cines franceses. Tras un buen rato de charla y rodeos cautelosos, el periodista arrimó una pregunta a la llaga de Walkowiak: su Tour victorioso de 1956. «Nunca hablo de aquel Tour, ni siquiera con mi mujer». En el silencio angustioso que siguió a esta declaración, la cámara se acercó al rostro de Walkowiak, que enrojecía por momentos. Le temblaron las mejillas, escondió la cara en la palma de su mano izquierda y rompió a llorar. «Nadie sabe cuánto sufrí».

Cuarenta años antes, la misma cara de niño temeroso apareció en la televisión: en la octava etapa de aquel Tour, al desconocido Walkowiak le acababan de vestir su primer maillot amarillo y se le acercó la cámara. El ciclista, incómodo, escondió la mirada entre los radios de su bicicleta y asentía con la cabeza gacha a las preguntas. El periodista, impaciente porque Walkowiak apenas pronunciaba monosílabos, le recalcó la importancia del momento como quien regaña a un chaval: «Roger, eres líder del Tour de Francia. Miles de personas te están viendo y quieren saber qué sientes con el maillot amarillo puesto». Walkowiak se llevó las manos a la cara y balbuceó unas palabras: «Es increíble, no puedo creerme lo que ha pasado, es increíble...». De pronto, ante un sollozo incontenible, el periodista tuvo que dejar el micrófono para recibir el abrazo de Walkowiak, quien lloraba sin parar de repetir «es increíble, es increíble...».

Muchos pensaron que aquel espíritu derrumbado por la emoción no soportaría la presión del liderato. Pero detrás de esa timidez temblorosa, aquel francés, hijo de inmigrantes polacos, guardaba una capacidad agonística impresionante y se aferró al amarillo con pasión desesperada.

Walkowiak aprovechó un vacío de poder. En el Tour de 1956 faltaban los dueños del primer lustro de los cincuenta: Coppi, Bartali, Bobet, Kübler, Koblet, Geminiani, Magni. Y aún no había aparecido Anquetil, quien al año siguiente comenzaría su ristra de cinco victorias en el Tour. En 1956, los pronósticos apuntaban a escaladores como Gaul, Bahamontes o Nencini, pero sin mucha convicción.

Como no había favorito claro, ninguna selección potente –Francia, Bélgica, Italia– se encargó de controlar el pelotón. Y de eso se aprovecharon corredores de equipos menores, como los de las selecciones regionales francesas, que participaban reunidos en conglomerados extraños: en uno de esos equipos formado por retales, la selección Norte-Este-Centro, corría un tal Roger Walkowiak, un ciclista que en sus comienzos apuntó algún detalle brillante pero con el que nadie contaba.

Los modestos aprovecharon la anarquía: en la etapa Lorient-Angers, 31 corredores de tercera fila se fugaron y llegaron a meta con dieciocho minutos de ventaja. Entre ellos, Walkowiak, que al día siguiente, entre Angers y La Rochelle, se coló en otra fuga similar y sumó un cuarto de hora más: ya tenía media hora de ventaja sobre todos los favoritos, y un maillot amarillo que le hizo llorar como un niño ante miles de espectadores.

A partir de entonces, Walkowiak padeció un calvario. Por los ataques en tromba de los favoritos, que veían que se les escapaba el Tour, pero también por el desprecio que sufrió su liderato: los periodistas escribían que Walkowiak, indigno para llevar el maillot, se había encontrado con el mayor golpe de suerte de la historia del Tour, y no disimulaban las ganas de que un nombre con más prestigio lo desbancara. El líder, es cierto, se topó con un recorrido favorable para resistir, con muchas etapas cortas y los principales puertos situados lejos de la meta. Pero en todas las jornadas montañosas se repitió el mismo esquema: Gaul y Bahamontes atacaban desde el primer puerto para intentar desfondar al líder, montaban un zafarrancho al que se sumaban otros rivales, y Walkowiak, descolgado, apretaba los dientes y sufría durante horas para perder el menor tiempo posible. En las etapas llanas, las selecciones más potentes organizaban emboscadas para sorprender a Walkowiak y hacerle trabajar hasta la extenuación. Y en las cronos, cruzaba la meta al borde del desmayo, intentando frenar una hemorragia de minutos angustiosa. Al final, salvó el Tour por un puñado de segundos: en el podio le escoltaron Bauvin, a 1'25", y Adriaenssens, a 3'44" (ambos se infiltraron en la primera escapada con Walkowiak, pero no en la segunda), y Bahamontes, el primero de los favoritos, terminó cuarto a 10'14".

Nadie reconoció la habilidad de Walkowiak para aprovechar dos veces el marcaje de los favoritos ni su sufrimiento para mantener el maillot. La prensa repudió sin más aquel triunfo de un corredor de tercera, decepcionante para el historial del Tour, y su nombre pasó al argot ciclista como un sinónimo denigrante: una «escapada a lo Walkowiak» es una fuga de segundones que aprovechan el despiste de los favoritos para ganar minutos, y un «Tour a lo Walkowiak», cualquier edición sin grandes nombres.

Antes de ese Tour, Walkowiak logró algunas victorias y actuaciones destacadas. Podría haber sido un buen ciclista, pero el estigma de su triunfo en el Tour le pudrió la carrera y le amargó la vida. Walkowiak se retiró pronto, montó un bar en su ciudad y no tardó en cerrarlo, harto de que los clientes le preguntaran sobre su carambola triunfal en el Tour, así que pidió un empleo en una fábrica y se sacó licencia de corredor *amateur* para competir discretamente en las carreras locales. Se refugió de un desprecio demasiado doloroso y nunca más habló en público, hasta que las lágrimas se le desbordaron cuarenta años más tarde, cuando ante una cámara y en voz alta deseó no haber ganado nunca aquel Tour de 1956.

LOS CALVARIOS DE ANQUETIL Y POULIDOR

Jacques Anquetil, el campeón preciso, no ganaba carreras: las resolvía. Interpretaba las vueltas como si fueran un problema matemático y sopesaba todas las variables. Estudiaba el recorrido de las etapas, memorizaba los tramos peligrosos, analizaba las características de sus rivales, preveía las circunstancias en las que podían tenderle emboscadas, estimaba las alianzas naturales y los enfrentamientos directos que podía traer la carrera, establecía las funciones exactas de sus gregarios para el ataque y la defensa, preveía cuántos minutos ganaría en las contrarrelojes y así calculaba los minutos que podía perder en las montañas. Y casi siempre ganaba. Fue el primer ciclista en conquistar cinco Tours de Francia. Pero ganaba con tanta exactitud y tan aparente facilidad que muchos aficionados franceses le silbaban y abucheaban desde la cuneta. «¿Por qué me silban a mí y no a mis rivales, que no han corrido lo suficiente?», se preguntaba Anquetil. Le silbaban por sus victorias tan medidas, sin derroches, sin escapadas grandiosas ni arrebatos de pasión. Le silbaban también porque era un figurín rubio de ojos claros, seductor de bailarinas de teatro y de la mujer de su médico –tras su muerte se supo que incluso había tenido una hija con su propia hijastra–, le silbaban porque se daba grandes banquetes de marisco y vino blanco. Y le silbaban, sobre todo, porque siempre ganaba a Raymond Poulidor.

Poulidor, hijo de campesinos pobres, era el favorito de los franceses. Porque en el Tour siempre estaba a punto de ganarlo todo y nunca ganaba nada. Porque era un personaje oscuro, cerril, que se moría sobre la bicicleta para perseguir una victoria gloriosa, pero la desgracia le enviaba siempre un pinchazo, una caída o incluso un motorista que lo arrollaba. El dramático Poulidor pasó quince años rondando el triunfo final del Tour: entre 1962 y 1976, subió al podio de París ocho veces –tres segundos puestos y cinco terceros– pero no vistió el maillot amarillo ni una sola jornada. Le cerraron el camino las grandes figuras de ambas décadas (Anquetil y Merckx), pero también otros ciclistas menos brillantes que sin embargo tuvieron una ocasión, la que nunca disfrutó Poulidor, para concentrar en un año toda su suerte y su fuerza, y así conquistar un Tour (Gimondi, Aimar, Pingeon, Thévenet, Van Impe). El público se decantó por Poulidor, el héroe maldito, y despreció a Anquetil, el héroe bendecido por los dioses.

El *maître* Jacques, el maestro, era un gran rodador cuyo estilo seducía incluso a sus rivales. El italiano Adorni confesó que a veces aprovechaba los momentos tranquilos de la carrera para situarse detrás de Anquetil y disfrutar del placer de verle pedalear, tan bien acoplado a la bicicleta, con los codos flexionados, la espalda recta y los talones dibujando círculos perfectos. Esa elegancia natural, que no se descomponía ni en los peores puertos, hacía pensar que el normando no sufría. Y un héroe impasible no cautiva a los aficionados. Pero el desprecio de los seguidores era injusto. Anquetil pedaleaba bonito y calculaba cada movimiento, sí, pero esos cálculos no habrían servido de nada sin una fuerza descomunal y una capacidad de sufrimiento que los sostuviera. De hecho, la especialidad de Anquetil era la contrarreloj, una disciplina poco espectacular que sin embargo es la más dura del ciclismo. Al margen de posturas aerodinámicas, tejidos especiales, materiales ultraligeros y mil zarandajas, la esencia de esta prueba es tan sencilla como atroz: el ciclista busca su cota de dolor máximo y trata de mantenerse en ese límite tremendo durante todo el tiempo posible. Quien concede una tregua al dolor pierde la carrera. Otra vez, ese punto de agonía que distingue a un campeón de un simple buen ciclista. Otra vez, las palabras de Miguel Induráin, un campeón de la escuela de Anquetil: «He llegado muy lejos en el dolor».

Anquetil era, sobre todo, un especialista en soportar la agonía. Apareció en el panorama ciclista en 1953, cuando solo tenía 19 años y ni siquiera era profesional: aquel chaval desconocido ganó por delante de las figuras de la época el Gran Premio de las Naciones, una crono monstruosa de 90 kilómetros que durante años fue algo así como un

Campeonato del Mundo oficioso para contrarrelojistas. El cronista Pierre Chany presenció aquella victoria: «Nunca lo olvidaré. Estaba desconcertado porque aquel joven no tenía buen aspecto. Era un chico enclenque, pálido, con venillas violetas bajo los ojos y las sienes. Con aquel aspecto, era imposible adivinar que se trataba de un prodigio». Sin embargo, aquel día Anquetil se presentó en público con una demostración contundente, para quien la quisiera ver: aceptó el reto de sufrir más de dos horas en solitario y ganó el pulso a los mejores ciclistas profesionales. El Gran Premio de las Naciones se convirtió en coto privado para Anquetil, quien lo ganó ocho veces más, y en 1961 obtuvo nueve minutos de ventaja sobre el segundo clasificado, una diferencia que nadie ha conseguido ni de lejos. También batió dos veces el récord de la hora, otro ejercicio de agonía pura. Pero incluso en la montaña, terreno de sus supuestas debilidades, Anquetil apretó los dientes y clavó victorias por toda la geografía del Tour: en 1957, en su primera participación en la ronda gala –y primera victoria final–, un Anquetil de 23 años ganó la etapa montañosa de Thonon les Bains con diez minutos de ventaja sobre el grupo; en el Tour de 1963 se llevó una etapa en los Pirineos y otra en los Alpes; y en 1964 también venció en Mónaco tras atravesar varios puertos alpinos.

Pero su verdadera grandeza en las cordilleras no se midió en aquellas etapas triunfales, sino en la manera de remontar jornadas desastrosas. Anquetil soportó calvarios de los que nadie podría resucitar. Y por eso fue uno de los más grandes. En aquel primer Tour de 1957, el joven Anquetil dominaba la carrera con tres victorias parciales y un colchón de diez minutos sobre sus contrarios, pero a falta de cuatro días para llegar a París sufrió una crisis aguda en la subida al Aubisque. El grupo marchaba a un tren sostenido cuando Anquetil se quedó clavado en una curva, perdió diez metros y empezó a hacer eses. Sus rivales pensaron que aquel chaval de 23 años, sofocado y tembloroso, había explotado ante la presión de mantener el maillot amarillo hasta París, y lanzaron un ataque en tromba, liderados por el belga Janssens. Anquetil perdió de vista al grupo. Y se sintió vacío, con las piernas de algodón. Movía la bici a golpe de riñones, empujándola con los brazos, un síntoma fatal, presagio de un hundimiento irremediable. Las motos se arremolinaron para fotografiar el padecimiento de Anquetil; por las radios corrió un rumor histérico que decía que el normando se bajaba de la bici. Pero Anquetil se repuso, se cuadró sobre el manillar y empezó a girar las bielas con una cadencia regular. Sólo pretendía sobrevivir en el Aubisque, mantener un ritmo digno, para no desfondarse y despedirse del Tour. La táctica funcionó. Por la cima, Anquetil perdía tres minutos, una distancia aceptable pero todavía muy peligrosa, porque podría crecer rápido: él se encontraba solo y desfallecido, y por delante sus rivales corrían en jauría hacia la meta de Pau. Pero también se han ganado y se han perdido Tours en los descensos, y Anquetil se lanzó en la bajada del Aubisque para salvar el maillot amarillo. En un recital de vuelo aerodinámico, frenazos en el último instante, trazadas de vértigo y arrancadas rabiosas, Anquetil recortó casi toda su desventaja.

En el llano aplicó sus técnicas de rodador solitario, exprimió los muslos y alcanzó al grupo cabecero en las afueras de Pau. Nencini ganó al esprint, Anquetil salvó el liderato. Y en meta, un periodista le preguntó por qué había tenido un día tan malo: «Perdone», contestó Anquetil, «pero he tenido un día fabuloso. Si no, habría acabado justo delante del coche escoba».

La otra gran resurrección de Anquetil ocurrió en 1964, cuando peleaba por su quinto Tour. Aquel año, después de analizar recorridos y rivales, el *maître* Jacques había calculado que le daba tiempo a ganar su segundo Giro de Italia —así lo hizo— y luego conquistar el quinto Tour, aunque llegara con las energías mermadas por el esfuerzo italiano. Pensó que le bastaría con su famosa táctica del *colmatage*: sacar ventaja en las contrarrelojes y dosificarla en la montaña. En la primera mitad del Tour reservó todas las fuerzas que pudo. No le importó que en algunas etapas los rivales tomaran cierta ventaja —Anglade, Bahamontes, Julio Jiménez, Groussard— porque él conseguía mantenerse en las primeras plazas gracias a dos golpes certeros y bien medidos: ganó una etapa rompepiernas con final en Mónaco y se impuso en la contrarreloj breve de Toulon. Anquetil sabía cuándo ceder y cuándo golpear. Así llegó la jornada de descanso, en el principado de Andorra, y Anquetil estaba en segunda posición, a 1'11" del líder Groussard.

La batalla estalló al día siguiente, por culpa de una pata de cordero. En el día de descanso, todos los ciclistas completaron un entrenamiento suave, pero Anquetil se olvidó de la bici y acudió a un banquete que ofrecía Radio Andorra. Los diarios publicaron varias fotos de Anquetil sentado a la mesa, devorando un gran pedazo de carne y bebiendo de un porrón de sangría. Esos aires de suficiencia terminaron de sublevar a sus rivales, que ya se sentían menospreciados por la frialdad con la que Anquetil manejaba la carrera, dejándoles marchar o atándolos en corto, según su conveniencia. Y decidieron darle un susto para enseñarle que debía sufrir mucho si quería ser el primer ciclista en ganar cinco Tours.

«En lugar de entrenarse, dedicó el día de descanso a comer cordero. Nos tomaba el pelo», declaró Henri Anglade, uno de los aspirantes. «Así que hablamos con los líderes de otros equipos y le preparamos una emboscada. Como los primeros treinta kilómetros de la etapa escalaban en frío el col d'Envalira, antes de la salida en Andorra rodamos cuarenta kilómetros a ritmo fuerte, para calentarnos bien y atacarle desde el principio». A los cinco kilómetros de etapa, tal y como estaba pactado, demarraron los escaladores españoles Bahamontes, Julio Jiménez y Manzaneque, y les siguieron Groussard, Anglade, Poulidor, Janssen y Adorni, todos los enemigos de Anquetil, que se quedó clavado, como siete años antes en el Aubisque. Esa imagen de Anquetil resoplando y enrojecido, aturdido ante la desbandada de sus rivales, parecía confirmar que el exceso de confianza le había traicionado y que el cordero le pesaba. Pero las piernas de Anquetil temblaban por otro motivo: «Jacques ni siquiera probó la carne», explicó después su director Geminiani. «Acudió al banquete de Radio Andorra por compromiso, y sostuvo la pata de cordero a petición de los fotógrafos, pero la volvió a dejar en el plato intacta. En realidad, Jacques estaba nervioso por las predicciones del mago Belline». El tal Belline, una especie de brujo muy popular en Francia, había predicho al principio del Tour que en la etapa de Andorra a Toulouse ocurriría una caída mortal. Los periódicos dieron bombo a las palabras de aquel charlatán, las versiones se reprodujeron y algunos indicaban incluso que Belline había anunciado concretamente la muerte de Anquetil. «En teoría, nadie hizo mucho caso a esas sandeces», dijo Geminiani, «pero esa historia flotó durante todo el Tour; de vez en cuando, algún periodista o algún aficionado se la mencionaba a Anquetil y él torcía el gesto. Aquella noche de Andorra, Anquetil durmió mal, se levantó nervioso y en la salida estaba muy serio».

Con cordero o sin él, con maldición mortal o sin ella, los rivales de Anquetil arrancaron en un esprint de locos y el normando naufragó en las interminables rectas del col d'Envalira. Louis Rostollan, compañero de Anquetil, esperó a su líder y trató de marcarle un ritmo sostenido. Tenían por delante un puerto sin rampas fuertes pero con casi treinta kilómetros de subida hasta los 2.407 metros, el paso asfaltado más alto de los Pirineos. Anquetil clavó sus ojos en la rueda trasera de Rostollan y durante más de una hora se dejó guiar, ciego. Cruzaron la cima con cuatro minutos de retraso. En los 150 kilómetros que quedaban por delante, Anquetil y Rostollan podían perder una minutada escandalosa ante el grupo de los conspiradores huidos. Entonces, nada más coronar, el director Geminiani acercó su coche a Anquetil para convencerle de que jugara todas sus bazas en el descenso, como en el Aubisque en 1957. Pero la bajada de Envalira estaba envuelta en una niebla muy espesa, en la que apenas destellaban las luces de los coches y era imposible distinguir una figura a diez metros. Una versión de la historia dice que Geminiani rellenó un bidón con el champán que llevaban para las celebraciones y se lo tendió al siempre exquisito Anquetil: «Jacques, con esto o te matas o ganas el Tour».

Anquetil tragó saliva y se lanzó a la desesperada. Rostollan, que no pudo seguir la rueda de su jefe, recordó en ese momento la profecía del mago Belline: «Cuando vi que Anquetil bajaba esprintando y desaparecía entre la niebla, se me pasó por la cabeza que quizá era la última vez que lo veía vivo». Si alguna vez tuvo sentido la expresión «bajar a tumba abierta», fue en aquel descenso temerario de Anquetil. Se perdió entre la niebla y durante veinte minutos nadie supo nada de él. No aparecía por ningún lado. El director Geminiani, angustiado, acercaba el coche a las cunetas de las curvas peligrosas para intentar ver a través de la niebla si Anquetil se había despeñado en alguna de ellas. Anglade, que marchaba en el grupo cabecero, recordaba bien la historia: «No se veía a diez metros. El alemán Kunde se cayó en una curva y, para esquivarlo, la tracé muy despacio, por el interior. De repente, por el exterior de la curva, casi al borde de un terraplén, una figura pasó como un misil. Intenté seguirle, pero no volví a verlo hasta que terminó la bajada y nos reagrupamos. Entonces lo vi: era Anquetil. No me lo podía creer. Nunca olvidaré aquella aparición».

El normando resucitó entre las tinieblas, pero no solo eso. La balanza se había inclinado una vez más del lado de Anquetil, y, por tanto, en contra de Poulidor: a veinte kilómetros de meta, el eterno segundón sufrió dos pinchazos en plena batalla por el triunfo de etapa. En la segunda ocasión, un mecánico le cambió la rueda, y su director, nervioso, le empujó con tanta fuerza para darle impulso que acabó tirándolo por la cuneta. Entre unos accidentes y otros, Poulidor perdió unos segundos que resultaron cruciales al final del Tour.

A partir de la etapa de Andorra, el Tour se convirtió en un duelo entre Anquetil y Poulidor. En la siguiente etapa pirenaica, Poulidor atacó en el Portillón, se fue en solitario, ganó la etapa y obligó a Anquetil a otro ejercicio de sufrimiento y cálculo. El normando cedió más de un minuto, pero conservó el segundo puesto en la clasificación y 19 segundos de ventaja sobre Poulidor: lo suficiente para salir justo detrás de él en la contrarreloj de Bayona. Allí Anquetil esperaba noquear a su rival, pero Poulidor demostró que se encontraba en un estado de forma ideal para ganar el Tour: en una crono de 43 kilómetros, solo cedió 37 segundos ante el superespecialista Anquetil, que ya portaba el maillot amarillo. El normando solo contaba con 56 segundos de ventaja, una renta exigua para el duelo definitivo: la ascensión al volcán del Puy de Dome.

Francia entera, dividida en dos bandos —los *poulidoristas*, mayoría; y los *anquetilistas*, minoría— esperaba en vilo aquel duelo homérico. La televisión francesa, consciente de la expectación nacional que levantaba la etapa del Puy de

Dome, improvisó para ofrecer en directo la subida, por primera vez en la historia. Nadie interfirió en el pulso entre Anquetil y Poulidor: por delante de ellos, los españoles Julio Jiménez y Bahamontes volaron en pareja hacia la meta –Jiménez ganó la etapa, Bahamontes aseguró su tercera plaza en el podio de París y el sexto reinado de la montaña–; por detrás, Anglade, Groussard, Adorni y compañía quedaron pronto rezagados. Las cámaras se centraron en el duelo en el volcán: Anquetil y Poulidor, mano a mano. Ninguno quiso aprovechar la rueda del otro y, en un pulso de puro orgullo, el héroe y el antihéroe pedalearon codo con codo durante varios kilómetros, tan pegados que los hombros chocaron varias veces, disimulando los jadeos y apretando el ritmo para hacer reventar al rival. A falta de 900 metros, Anquetil flaqueó y cedió cinco metros. Poulidor, excitado por los aullidos del público, arrancó como un poseso y voló hacia la cumbre. Anquetil abría la boca al borde de la asfixia, pero tampoco entonces descompuso la figura; sin levantarse del sillín, mantuvo su pedaleo redondo, el más eficaz, y aplicó el cálculo entre su capacidad de agonía y la ventaja que podía administrar. Poulidor cruzó la meta y se derrumbó. Mientras los cronómetros desgranaban segundos en un hiato dramático, Anquetil apareció en la última curva con la ecuación resuelta: se desplomó al lado de su rival, pero solo 42 segundos más tarde y con su quinto Tour –el símbolo de la perfección ciclista– en el bolsillo. Poulidor se quedó a 14 segundos de romper su destino.

El último día, en una crono de 27 kilómetros entre Versalles y París, Poulidor salió con la furia de un león herido, con la esperanza de que las primeras referencias le fueran favorables y las rodillas de Anquetil temblaran. Pero el normando estaba en su terreno, corrió más concentrado que nunca y aumentó en 41 segundos su ventaja final. En el velódromo del Parque de los Príncipes, el público envolvió en una ovación de varios minutos al desdichado Poulidor. Pero Geminiani rindió justicia a la grandeza de Anquetil: «Nunca he visto un ciclista con tanto coraje y tan sufridor. Pero estas cualidades pasan desapercibidas, ocultas bajo su estilo perfecto».

CUARENTA PEDALADAS

Crujes de sufrimiento y caes de la bici, Tom Simpson. Aún no has entrado en coma, la montaña te está matando con paciencia. Alguien te levanta del suelo y vuelves a estar encima del sillín, inconsciente pero pedaleando como un robot. A tu vida solo le quedan 40 pedaladas. Y ni siquiera te das cuenta.

Un automatismo sacude tus músculos y consigues que giren las bielas 39 eres un muñeco roto 38 te tambaleas en el infierno 37 mont ventoux, dos mil metros 36 un desierto marciano 35 y el oxígeno se agota 34 el sol achicharra 33 el calor espejea en un aire rojizo 32 como de hemorragia 31 y no hay sombra 30 solo rocas quemadas 29 ningún refugio en esta recta eterna 28 en esta calavera gigante 27 que nunca superarás.

Llevas una hora agonizando 26 pero nada cambia 25 las mismas rayas en la carretera 24 las mismas piedras fundidas 23 tu mente cuece alucinaciones 22 pedaleas sobre miel 21 el tiempo se repliega 20 todo se hunde 19 Octave Lapize grita asesinos 18 louis mallejac cree morir.

Eres puro dolor 17 te gritan te empujan te aplauden 16 ¿también se aplaude a los muertos? 15 cada golpe de pedal es una cuchillada en tu sien 14 cristales en las venas 13 plomo hirviendo en los muslos 12 arena en la sangre 11 mantequilla en el corazón 10 te pitan los oídos 9 ves una niebla blanca 8 tiemblas 7 quieres respirar pero te han arrancado los pulmones 6 boqueas como un salmonete 5 intentas tragar ese aire viscoso 4 pero aspiras fuego 3 abres más la boca 2 el penúltimo dolor en las mandíbulas 1 revienta el corazón.

Te derrumbas de la bici por segunda vez. Tirado en la gravilla, entras en coma. Pero tus piernas todavía siguen moviéndose circularmente, como la cola amputada de una lagartija, haciendo girar unos pedales invisibles. Te has liberado por fin. Pagando el precio más alto. Pedaleando sobre un cero. A las tres y diez de la tarde del 13 de julio de 1967, el Tour te mata en la cuneta como a un perro, Tom Simpson.

El día en que murió Tom Simpson muchos ciclistas sacaron de sus maletas todos los frascos, las pastillas y las jeringas, y las tiraron al fondo de un canal de la ciudad de Carpentras. Se pasaban el aviso unos a otros, «la policía va a registrar los hoteles de los equipos», y salían de noche, en procesión silenciosa y clandestina, para arrojar al agua las pruebas del delito.

La autopsia de Simpson confirmó lo que todos suponían: anfetaminas. Y reveló un ingrediente inesperado: alcohol.

Un año más tarde, la organización del Tour instauró por primera vez el control antidopaje. Hasta entonces había barra libre. El abulense Julio Jiménez, segundo clasificado en aquel Tour letal de 1967, contó al periodista Carlos Arribas que durante años había visto a los belgas y a los holandeses atiborrarse de anfetaminas, en comprimidos o en inyecciones, y también a sus compañeros de los equipos franceses Bic y Ford. «Yo tomaba medio comprimido, por ir un poco alegre», decía Jiménez, «y una tacita de café con Kolastel, que tenía cola. Y se reían de mí: "¿Cómo vas a andar con medio comprimido?". Pero yo no podía tomar más, porque me daban calambres». Simpson lo tenía muy claro: «No estoy dispuesto a dejarme batir por rivales dopados si yo puedo ganarles tomando esas mismas sustancias. Las reglas ya se habían quebrantado mucho antes de que yo llegara». Así se justificó ante Colin Lewis, el joven neoprofesional con quien compartió habitación en los días anteriores a su muerte.

Lewis terminó aquel Tour en un discreto puesto 78, pero nunca jamás lo olvidará. Nunca olvidará la emoción de primerizo, cuando el director deportivo Alec Taylor le anunció que compartiría habitación con Tom Simpson, para que aprendiera de él. En 1962 Simpson fue el primer británico en vestir el maillot amarillo y acabó el Tour en una prometedora sexta posición. Se afincó en Gante (Bélgica) para adaptarse a las costumbres continentales y vivir en el corazón del mundo ciclista, se empeñó en aprender francés y conquistó el cariño del público galo por su cómico acento *franglish*, su buen humor permanente y su amabilidad. Los franceses lo adoptaron como *Tommy* y se convirtió en uno de los corredores más populares del Tour. Ganó clásicas, pequeñas vueltas, incluso el Campeonato del Mundo de 1965, celebrado en San Sebastián. Pero el deseo de hacer algo grande en el Tour le quemaba las entrañas. Y se presentó en la salida de 1967 dispuesto a todo.

Lewis absorbió con los ojos abiertos hasta el mínimo detalle: «Simpson era un profesional concienzudo», declaró tres décadas más tarde a *The Sunday Times*. «Me llamó la atención el empeño que ponía en que la habitación estuviera siempre limpia y ordenada, su costumbre de plegar todas las noches sobre la silla el maillot, el culote, los calcetines y la gorra con los que correría al día siguiente». El debutante también conoció rápido otras caras menos idílicas del ciclismo. En la segunda etapa, Simpson se le acercó con una petición extraña: «Colin, dame tu gorra». Lewis, encariñado con la flamante gorra de la selección británica y un poco sorprendido, contestó a su jefe de filas: «Pero si tú llevas la tuya...». «Dámela». «¿Para qué la quieres?». «Colin, me estoy cagando». El pobre Lewis, impresionado, le dio la gorra a Simpson y se detuvo en la cuneta, mientras su jefe, gorra en mano, se escondía detrás de un muro. Al cabo de un rato, Simpson volvió aliviado y Lewis le llevó a rueda hasta el pelotón. «Así que ésta es la vida del gregario», pensó.

Y a Lewis aún le faltaban por descubrir los rincones más siniestros de la competición. Una noche, los dos ciclistas se metieron a la cama y charlaron un rato antes de apagar la luz. Simpson contó a su compañero por qué aquel Tour era más importante que nunca para él: había comprado un terreno en Córcega, con la idea de construir un hotel o unos apartamentos, y necesitaba 22.000 libras para poner en marcha el proyecto. Esperaba obtener ese dinero en un par de temporadas. Y la llave del éxito y el dinero la daba el Tour: con una buena actuación, podría ganar premios, obtener contratos jugosos y recibir ofertas para correr los criteriums veraniegos. Esa noche, Simpson repasó uno por uno a sus rivales: Poulidor, hundido en la subida al Ballon de Alsacia, ya no pintaba nada. Aimar, ganador de la edición de 1966, podía ser peligroso pero le había visto flojear en las subidas. Temía sobre todo a Gimondi, ganador del Tour de 1965, a Janssen, un holandés discreto y correoso que ganaría el Tour un año más tarde, y a Pingeon, un francés que solía rondar los primeros diez puestos pero que en la quinta etapa se había infiltrado en una fuga y contaba con siete minutos de ventaja. Al final, esa escapada le daría el triunfo a Pingeon, para desesperación de Julio Jiménez, que no pudo recortarle todos los minutos necesarios para ganar un Tour en el que fue quizá el ciclista más fuerte. Pero Simpson nunca conocería el desenlace de la prueba.

El destino le guardaba un castigo macabro para su ambición: al principio del Tour, Simpson había marcado en rojo la etapa del Mont Ventoux. «Ésta es la clave», le decía a Lewis. «Cuando coronemos el Ventoux, sabremos quién será el ganador en París».

En otra ocasión, nada más llegar al hotel después de una etapa, Simpson sacó del bolsillo trasero del maillot los restos del día: un poco de comida sobrante y un paquetito de papel de aluminio. Lo desenvolvió, sacó de él seis pastillas y las colocó sobre la cama. Se fue a la ducha, y a la vuelta descubrió que solo había cinco. Simpson se puso nervioso y acusó a Lewis: «¿Me has cogido una pastilla? Si quieres una, te la puedo vender, pero no se te ocurra robarme». Lewis, azorado, defendió su inocencia y le pidió que buscara por el suelo: efectivamente, la sexta pastilla había caído debajo de la cama. Simpson se disculpó y no volvieron a hablar del asunto. Lewis dice que no solían mencionar el dopaje: «Yo había visto a corredores aficionados que se inyectaban antes de las carreras en Gran Bretaña, pero no creo que fuera una práctica común. Cuando pasé a profesionales y corrí por el continente, vi que algunos ciclistas eran expertos en productos farmacéuticos y que funcionaba un tráfico de sustancias. Yo era un novato, nadie me ofrecía nada, pero tampoco disimulaban en mi presencia». Así, en otra de las noches de aquel Tour, alguien llamó a la puerta de Simpson y Lewis. Eran dos ciclistas italianos. Simpson chapurreaba su lengua y conversaron durante un rato. «Yo no les entendía», dice Lewis, «pero resultaba evidente que discutían. Al final se dieron la mano. Tom dejó sobre la mesilla una caja. Yo estaba un poco aturdido, sentado en mi cama, mirando la caja, y Tom me dijo: "Es mi provisión anual. Me cuestan 800 libras"».

De todas maneras, la carrera no iba demasiado bien para Simpson. En la ascensión al Galibier, Gimondi y Jiménez atacaron sin pausa, Poulidor echó una mano a Pingeon en la defensa del maillot amarillo, y Simpson no les pudo seguir. El británico marchaba séptimo en la general, a más de ocho minutos del líder. Pero aún tenía confianza. «Tom era la persona más competitiva que he conocido», decía Lewis. «Nunca se sentía inferior a nadie, se creía capaz de ganar el Tour y no quería reconocer que estaba un escalón por debajo de los primeros. Hablaba constantemente de la etapa del Mont Ventoux, insistía en que allí se decidiría todo. Era muy convincente. Nos decía que en el Ventoux iba a dar un gran golpe. Y nosotros le creíamos».

Los compañeros le creían. Pero Simpson comenzaba a dudar de sí mismo y cada vez se encontraba más nervioso. Un día antes de su mala ascensión al Galibier, en la salida de Belfort, los ciclistas de la selección británica aprovechaban la mañana soleada para charlar en una terraza, hojear los diarios y bromear. Simpson parecía alegre y era amable con todos, con los mecánicos y corredores de otros equipos que se acercaban a saludarle, con los aficionados que le pedían autógrafos o le sacaban fotos. El fotógrafo Robert Delvag se sentó a tomar un café con los británicos y les enseñó las imágenes que había tomado la víspera, en la subida al Ballon de Alsacia. Simpson comía un plátano y echaba un vistazo despreocupado a las fotos, que pasaban de mano en mano de sus compañeros. Pero en un instante se le torció el gesto. Dejó el plátano sobre la mesa, pidió las fotos y esta vez las pasó despacio, observándolas en silencio. En una de las imágenes, Simpson aparecía escalando el Ballon de Alsacia con una mueca retorcida de sufrimiento: los ojos desorbitados, la lengua fuera y un ribete blanco de saliva seca en los labios. En ese momento el locutor del

Tour llamaba por los altavoces a la selección británica para que subiera al estrado a saludar al público. Los británicos se levantaron, tomaron las bicis y se acercaron a la salida, pero Simpson se quedó quieto unos segundos, con la foto en la mano y la cara ensombrecida. Al final, devolvió las imágenes a Delvag y sacó una sonrisa forzada:

—Ya veis con qué caras salgo en las fotos —dijo con su divertido acento *franglish*—, se ve que necesito un buen examen cardiaco.

El fotógrafo y las personas que estaban alrededor rieron la broma. Pero al día siguiente, las piernas de Simpson flaquearon en el Galibier y en esos momentos de dolor probablemente recordó con angustia la foto del Ballon de Alsacia. Levantó el pie y perdió algunos minutos. Aún quedaba la etapa del Mont Ventoux, tres días más tarde.

«En aquel Tour hizo mucho calor, pero el día del Ventoux fue insoportable», recuerda Colin Lewis. «En aquella época no podíamos recibir bebida desde los coches salvo en la zona de avituallamiento, aunque algunos aprovechaban las averías o los pinchazos para que los mecánicos les colaran un bidón fresco a escondidas. Y en la etapa del Ventoux, cuando faltaban muchos kilómetros para el avituallamiento, algunos corredores empezaron a gritar en el pelotón que iban a hacer un *caféraid*. Es decir, que iban a asaltar un bar». Se trataba de una práctica habitual. Los gregarios se ponían de acuerdo para echar pie a tierra, a veces en bandas de veinte o treinta ciclistas, y rellenaban sus bidones y los de sus jefes en fuentes o arroyos. Pero muchas veces asaltaban bares, restaurantes y hasta algún camión de reparto que pasara por allí. Julio Jiménez explicó al periodista Arribas por qué le faltaba un incisivo: «Me lo rompí intentado abrir una botella de cerveza. ¡Qué impresionante, cómo se asaltaban los bares! Pasaba en todas las carreras, en el Tour, el Giro, la Vuelta», contaba el abulense. «Los gregarios se metían botellas grandes de cristal por todas partes, algunos cargaban hasta con diez o doce. Se llevaban de todo, hasta botellas de champaña. Algunos abrían las cervezas con los dientes, otros golpeaban la chapa contra la potencia del manillar, pero se caían al suelo o se cargaban la pieza. Los más previsores llevaban un abridor colgando de una cadenita del cuello. Y se corría la voz: Fulano lleva abridor».

En la etapa del Ventoux, el novato Colin Lewis se sumó a la marabunta: «No sabía muy bien qué pasaba. Entré corriendo a un bar de carretera muy amplio y vi que los corredores arramplaban con todo. El dueño gritaba, los camareros echaban a empujones a los ciclistas, y lo más gracioso es que los clientes se pusieron de nuestra parte y algunos agarraban botellas de la barra y nos las daban. Las cocacolas eran los botines más preciados y yo vi una botella encima del frigorífico, así que me subí a una silla y la cogí. Luego me guardé otras tres botellas en los bolsillos traseros del maillot y me metí una más por la nuca, sin saber qué eran. Salí corriendo». Después tocaba perseguir al pelotón, cazarlo y buscar al jefe de filas. «Busqué a Tom en el grupo y le pasé la cocacola», cuenta Lewis. «Se la bebió entera, casi de un trago, y luego me preguntó: "¿Qué más tienes?". Metí la mano en el bolsillo y agarré una botella cualquiera: era coñac Remy Martin. Tom la vio, dudó un instante y al final me dijo: "Qué demonios, dámela. Estoy un poco flojo, a ver si me pongo a tono". Bebió un trago largo y luego arrojó la botella por los aires a un campo de girasoles».

Lewis recuerda el cartel de Bedouin, el último pueblo antes de empezar la subida al Mont Ventoux, y los nervios que recorrían el pelotón. Todos los equipos pugnaban por colocar en cabeza a sus jefes. Y en cuanto apareció un repecho, comenzaron los ataques. «Yo tuve un día bastante bueno», dice Lewis, «en las primeras rampas marchaba cerca de la cabeza y veía lo que ocurría por delante. Vi que Tom no respondió a los primeros ataques, pero enseguida salió a la rueda de dos ciclistas. Parecía que las cosas no iban mal». A partir de ese momento, Lewis perdió de vista a los primeros y se concentró en su propio esfuerzo. Trepó con mucho sufrimiento por la parte inicial de la montaña, aún cubierta por pinares, pero cuando alcanzó la zona del Chalet Reynard, donde la vegetación desaparece y la carretera sube por un páramo de guijarros calcinados, escuchó el aviso de un espectador: «Simpson se ha caído». Más adelante vio el coche del equipo británico parado en la cuneta, una bicicleta en el suelo y un corrillo de gente alrededor de lo que parecía un médico atendiendo a un ciclista tumbado. El director deportivo Alec Taylor gritó a Lewis para que continuara, y él siguió hacia la cumbre, triste por la desdichada caída de su compañero de habitación, justo en el día en que tenía depositadas las mayores esperanzas. En los últimos metros de la subida, Lewis pedaleó muy despacio para mirar ladera abajo, por si venía Simpson. No vio nada, así que bajó el puerto, terminó la etapa y se marchó al hotel. Por mucho que preguntó, nadie supo decirle nada sobre Simpson. Así que se duchó y después se sentó en la cama, preocupado, mirando la otra cama vacía, a la espera de que alguien llegara con noticias de Tom.

El mecánico Harry Hall siguió la ascensión de Simpson desde el coche británico, grabando con una cámara de cine. «Cuando entramos en la zona pelada del Mont Ventoux, el sol apretaba con mucha fuerza y de pronto Tom se puso fatal. Cada vez pedaleaba más despacio, le pasaban muchos ciclistas. Luego empezó a dar tumbos, de cuneta a cuneta, con la cabeza agachada, y en una de esas se dirigió en línea recta hacia el precipicio que se abre en el lado izquierdo de la carretera. Dentro del coche gritamos de pánico, yo tiré la cámara al asiento. Tom corrigió la marcha en el último momento, giró hacia la derecha, pero entonces cruzó la carretera en diagonal hasta la otra cuneta. Se salió a una zona de gravilla, las ruedas se trabaron y Tom cayó, sin reflejos ni siquiera para extender las manos y protegerse en la caída. Cayó como un saco de patatas. Salté del coche, corrí hasta él y le solté las correas de los calapiés, porque seguía atado a la bici. Le dije: "Tom, se acabó el Tour". Pero él me gritó: "Levántame, joder, tengo que seguir". Ya habían llegado hasta nosotros otras personas. Alguien levantó la bici, yo ayudé a Tom a incorporarse. Si Tom decía que quería continuar, tenía que continuar. Era el jefe. Se sentó como pudo en el sillín, sostenido en la bici por dos o tres personas, yo mismo le até los calapiés, y le empujaron para que arrancara de nuevo cuesta arriba. Volvimos al coche y le seguimos. Tom avanzó unos cien metros, despacio pero en línea más o menos recta. Sin embargo, pronto comenzó a zigzaguear de nuevo. Iba doblado sobre la bici. Deshecho. Alec Taylor, el director, gritó para que detuvieran el coche. Yo abrí la puerta, salté y corrí hacia Tom. Lo sostuve antes de que cayera. Llegaron Taylor y Ken Ryall, el chófer. Lo agarramos entre los tres y lo llevamos hacia la cuneta, aún montado en la bici. Allí lo tumbamos con bici y todo, y quedó en una postura grotesca: seguía con las manos aferradas al manillar y las piernas se sacudían arriba y abajo, como si quisiera continuar pedaleando. Tuvimos que despegarlo literalmente de la bici. Ryall le separó las manos del manillar, yo le saqué los pies de los pedales, alzamos entre los dos su cuerpo inerte y lo tumbamos sobre la gravilla. Estaba inconsciente. Empezamos a levantarle los hombros y el torso rítmicamente, para que respirara. Alguien trajo toallas húmedas. Le mojamos la nuca. Le refrescamos la cara. Entonces llegó el doctor Dumas, médico del Tour, con una enfermera. Entre la enfermera y yo le practicamos el boca a boca a Tom, a relevos. El médico le masajeaba el corazón. A los cinco minutos, un helicóptero aterrizó a nuestro lado. Tumbaron a Tom en una camilla, lo metieron a toda prisa en el helicóptero y despegaron. Nunca olvidaré la imagen de Tom en la camilla, con los brazos colgando. Porque justo entonces comprendí que había muerto. Nos quedamos todos allí, en la cuneta, mirando hacia el cielo, siguiendo con la vista el vuelo del helicóptero, cada vez más lejano». Cuando dejaron de oír el estruendo de las aspas, todo quedó en silencio. Luego se oyó el canto de las chicharras.

Cuando Colin Lewis llevaba una hora en el hotel mirando la cama vacía de Tom Simpson, alguien tocó la puerta. Era el masajista británico Gus Naessens. Lloraba.

Esa noche hubo más toques en la puerta. Un ciclista entró en la habitación de Lewis y le aconsejó que recogiera todos sus fármacos y los arrojara al canal que pasaba por allí cerca. Lewis no tenía nada que tirar, pero le agradeció el aviso. Después se tumbó con los ojos abiertos.

En la siguiente etapa, el francés Jean Stablinski se acercó a los ciclistas británicos y les comunicó, como portavoz del pelotón, que el triunfo de etapa sería para uno de ellos y que todos los premios del día se destinarían a la familia de Simpson. Los británicos decidieron que Barry Hoban fuera el primero en cruzar la meta en Sète. Colin Lewis recordaba un gesto extraño: cuando se acercó a ellos, Stablinski dobló un poco el bolsillo trasero del maillot para enseñar una caja de estimulantes. «No entendí la breve conversación que tuvo con algunos de mis compañeros y luego no quise preguntar nada, pero supongo que Stablinski pretendía decir que no eran las anfetaminas las que habían matado a Simpson, porque todos recurrían a ellas en el pelotón. Era una especie de reconocimiento de que todos tomaban lo mismo que Simpson».

La autopsia reveló que las anfetaminas mezcladas con el coñac, más el calor terrible de aquella tarde, le produjeron a Simpson una parada cardiaca. «Soy el único responsable de que el coñac llegara a manos de Tom», dijo Lewis, «pero ni los estimulantes ni el coñac fueron por sí solos la causa de su muerte. Le podía haber pasado lo mismo si hubiera bebido un vaso de agua. Fue la ambición la que le hizo sobrepasar sus límites». Y el mecánico Harry Hall grabó una especie de epitafio: «El estimulante que mató a Tom Simpson se llamaba Tom Simpson».

OCAÑA CONTRA MERCKX, CONTRA LOS ALPES, CONTRA OCAÑA

A Eddy Merckx no le gustaba perder ni al parchís. Para enumerar los triunfos del belga –solo los principales– hay que controlar la respiración: cinco Tours de Francia, cinco Giros de Italia, una Vuelta a España, una Vuelta a Suiza, siete Milán-San Remo, tres París-Roubaix, cinco Lieja-Bastoña-Lieja, dos Tours de Flandes, tres Flecha Valona, dos Giros de Lombardía, tres Campeonatos del Mundo, el récord de la hora y un reguero de vueltas por etapas y victorias parciales hasta sumar 525. En su primera participación en el Tour, en 1969, Merckx ganó cinco etapas más la crono por equipos, dejó a Pingeon y Poulidor a veinte minutos, y en París se vistió el maillot amarillo, el verde de la regularidad, el blanco de la combinada, ganó el premio de la montaña y el de la combatividad. En la etapa reina de los Pirineos, cuando ya marchaba líder con más de ocho minutos de ventaja, emprendió una escapada solitaria de 140 kilómetros, digna de las gestas locas de Coppi. En la cima del Aubisque sumaba quince minutos de ventaja sobre sus perseguidores, un escándalo, pero hasta la meta faltaban 70 kilómetros llanos y en ese tramo Merckx sufrió uno de los mayores desfallecimientos de su vida. Su director, Guillaume Driessens, le pasó un bidón con champaña y zumo de naranja para intentar reanimarlo. El belga perdió la mitad de su ventaja, pero aun así en la meta de Mourenx sacó siete minutos a sus rivales. Allí los periodistas lo bautizaron para siempre: *El Caníbal*. Porque Merckx disputaba hasta las metas volantes, esa clasificación secundaria establecida como aliciente para los modestos. En un Giro de Italia, el pelotón atravesaba la calle principal de un pueblo cuando al fondo apareció una pancarta. Merckx arrancó, esprintó como si le fuera la vida y pasó con ventaja, seguro de que se había anotado los puntos correspondientes. Solo en los últimos diez metros levantó la cabeza del manillar y leyó lo que ponía en la pancarta: «Vota Partido Comunista».

El segundo Tour de Merckx, en 1970, no tuvo ninguna historia: *El Caníbal* devoró siete etapas, sacó un cuarto de hora a Zoetemelk y Petterson, ganó la montaña, la regularidad, la combatividad y las metas volantes. Los diarios franceses repitieron un juego de palabras en los titulares: «*Tout Eddy*», que significa «todo Eddy» pero que se pronuncia igual que «*tout est dit*», «todo está dicho».

Luis Ocaña también tenía algo que decir. Se hizo profesional en 1968 y apareció en el panorama ciclista como un tifón, como un corredor extraordinario que se fugaba temprano, ignoraba a sus rivales, se exprimía al máximo durante horas y cruzaba las metas solo. Ocaña, el ciclista más trágico y desgarrado, vivió en permanente lucha contra sí mismo. Cuando era niño, emigró de Cuenca a Francia con su familia. Allí le llamaban «el español de Mont-de-Marsan». En España le tachaban de comunista –todo un delito– y de francés –casi un pecado–. Fue uno de los corredores con más talento de la historia, pero él en realidad prefería ser albañil o carpintero. Se convirtió en ciclista, decía, porque cuando trabajaba en una carpintería su jefe le insultó y él le lanzó un hacha. El hacha voló, pasó a pocos centímetros del jefe y se clavó contra una puerta. A Ocaña lo despidieron. Y él pensó que podría ganarse la vida con la bicicleta.

Ganó un Tour, una Vuelta, dos Campeonatos de España, tres Dauphiné-Libéré, dos Vueltas al País Vasco, una Volta a Catalunya, una Midi Libre. Después de retirarse, se hizo con un viñedo para producir licor Armagnac y también compró un Jaguar blanco, con el que recorría las autopistas francesas a doscientos por hora. Cuentan sus escasos amigos que limpiaba los cristales de ese Jaguar con uno de los maillots amarillos que consiguió en el Tour. En la jornada de descanso de la ronda francesa de 1979, un Ocaña ya retirado participó en una carrera de coches, se salió en una curva y cayó dando vueltas de campana por un barranco de doscientos metros. Lo rescataron bañado en sangre por un corte profundo en la cabeza, con los antebrazos rotos y la pelvis fracturada. En otro accidente perdió un ojo y le pusieron uno de cristal. Un amigo calculaba que destrozó unas tres docenas de coches. Ocaña vivía en una permanente y angustiosa carrera, una fuga solitaria en la que iba dejando en la cuneta a compañeros, amigos y familia. Cada vez soportaba a menos gente; procuraba comer y cenar solo y se marchaba a su habitación a leer a los románticos españoles, autores desgarrados como Bécquer, Larra o Espronceda. En los años noventa, el mercado del licor Armagnac se desplomó y el negocio de Ocaña entró en números rojos. Le aconsejaron que arrancara las doscientas mil cepas que tenía y plantara otras variedades para producir champaña. En uno de sus accidentes automovilísticos, una transfusión urgente le salvó la vida pero le contagió la hepatitis C. La enfermedad degeneró en cirrosis. El tratamiento le debilitó tanto que en 1994 abandonó sus tareas de comentarista para la cadena Cope en la Vuelta a España, a mitad de carrera, y se volvió a la soledad de su casa en Caupenne d'Armagnac. Se sumergió en una depresión sin fondo. Las broncas con su mujer Josiane se habían agravado hacía tiempo. Estaba solo. Y el 19 de mayo de 1994, con 48 años, se pegó un tiro.

La fuerza descomunal y el espíritu atormentado de Ocaña necesitaban chocar con un rival grandioso, con un monstruo. Y ahí estaba Merckx. El castellano luchó contra el belga con furia, con un empeño quijotesco; algunas veces derribó al gigante con estrépito, y otras veces las aspas de los molinos lo alancearon, lo tiraron por los aires y lo dejaron hecho un guiñapo sanguinolento. Las fotos más famosas de Ocaña se dividen en dos tipos: aquellas en las que pedalea sentado, con la mirada firme y el gesto concentrado, mientras sus rivales se retuercen, y aquellas en las que aúlla de dolor, tirado en una cuneta o cubierto de sangre. Y una curiosidad significativa: apenas hay fotos de Ocaña y Merckx juntos. Componían una mezcla explosiva: si se juntaban, el pelotón estallaba en pedazos y uno de los dos quedaba fuera de combate.

Los dos primeros Tours de Ocaña, dos desastres, coincidieron con los primeros Tours triunfales de Merckx. En 1969, en las rampas del Ballon de Alsacia, mientras el belga fulminaba a sus rivales, el español se enganchó con la rueda de otro corredor, cayó a plomo y compuso la imagen dramática de su primera foto famosa: los ciclistas del equipo Fagor –Perurena, Gabika, Mendiburu, Galera, Santamarina– empujan a un Ocaña con la cabeza hundida, noqueado, mientras una regata de sangre mana de su barbilla y le empapa el maillot y los muslos. Ocaña resistió una etapa más y luego se retiró. En el Tour de 1970, mientras Merckx acumulaba su botín de siete etapas, unas hemorroides dejaron a Ocaña fuera de combate. Al menos, se recuperó a tiempo para pasar fugado por Mont-de-Marsan, su pueblo, y ganar ese mismo día su primera etapa en el Tour.

La gran colisión entre Ocaña y Merckx ocurrió en 1971. Ese año, el castellano contaba con otro ingrediente para reventar el Tour: José Manuel Fuente, *El Tarangu* (en bable, despreocupado), un corredor con el que no compartía equipo pero sí una manera extrema de entender el ciclismo. A Fuente, del equipo Kas, no le valían las tácticas bien medidas, él lo reducía todo a una cuestión de fuerza bruta y capacidad de sufrimiento: arrancaba a muerte en cuanto veía un repecho y destrozaba la carrera. Y a menudo se destrozaba él mismo. Fuente, un fenómeno de la naturaleza, ganó dos Vueltas a España y machacó al mismísimo Merckx una y otra vez en las montañas del Giro de Italia, pero se hizo famoso sobre todo por las pájaras que agarraba. No sabía medirse, se entregaba a la batalla con tanta pasión que olvidaba comer y además tenía un riñón estropeado desde niño que no daba abasto para filtrar las toxinas de un cuerpo tan revolucionado. Entre una cosa y otra, Fuente era capaz de atacar en el primer puerto de una etapa, sacar de rueda a todos sus rivales, alcanzar una ventaja de escándalo, y de pronto hundirse, ciego, con las rodillas temblando, y bajarse de la bici o llegar a meta empujado por sus compañeros y fuera de control. Era un ciclista pasional, un loco de atrabiliario, emperrado en dormir con su bicicleta al lado de la cama y capaz de fumarse una cajetilla de Marlboro para calmar los nervios en vísperas de una contrarreloj o de una etapa decisiva. Como Ocaña, Fuente tenía clavado a Merckx entre ceja y ceja. Y creía poseer la receta para batirle: «Para ganar a Merckx, hay que atacarle todo el tiempo». Ocaña coincidía: «Merckx es muy superior a todos, así que hay que atacarle en un terreno muy duro».

El Tour de 1971 comenzó de cara para el belga, con un triunfo en la crono por equipos del primer día y otro más en Estrasburgo, con la subida al Ballon de Alsacia de por medio. Luego, en la ascensión al Puy de Dome, Ocaña dejó atrás a Merckx y ganó la etapa, pero solo le sacó quince segundos. Aquello no tenía relevancia para la general; sin embargo, fue un momento clave para Ocaña: la confirmación de que Merckx cedía antes que él. Ya solo faltaba esperar a una jornada con varios puertos, para atacar desde el primer repecho y esperar a que el belga flaqueara lejos de meta. Ocaña necesitaba dinamiteros y los encontró muy cerca: charló con Fuente y los ciclistas del Kas, y todos subrayaron en rojo la etapa entre Grenoble y Orcières-Merlette, de apenas 134 kilómetros pero trazada a través de un tobogán de puertos alpinos.

Aquella etapa se disputó bajo un sol abrasador, ideal para fundir piernas, corazones y cerebros. En cuanto el pelotón dejó atrás Grenoble y empezó a subir el col de Laffrey, Fuente lanzó un ataque fuerte y sostenido, de pie, bailando sobre los pedales, sin mirar hacia atrás. Cuando por fin se sentó y giró el cuello para observar los resultados, vio que a su rueda marchaban Ocaña, Agostinho, Van Impe y Zoetemelk. El resto del pelotón, Merckx entre ellos, había desaparecido. Feliz por la escabechina, Fuente siguió tirando de los escapados como un poseso. Pero esta vez le tocaba día malo: poco antes de coronar ese primer puerto, al asturiano se le bloquearon los muslos y se descolgó. Sus compañeros del equipo Kas lo encontraron perdido en la carretera, grogui, y lo llevaron a rastras hasta la meta, donde entraron fuera de control. Fuente acabó destrozado, pero su ataque sirvió para dejar a Merckx sin equipo. Después de bajar Laffrey, el grupo de Ocaña llevaba cuatro minutos de ventaja al pelotón, y a Merckx solo le quedaban dos compañeros derretidos, Wagtmans y Huysmans, para perseguir a los fugados. Estos gregarios daban relevos con voluntad pero sin fuerza, por lo que Merckx decidió ponerse en cabeza y tirar a bloque, con ochenta ciclistas a su rueda en fila india.

Pero ese día Ocaña tenía las mejores piernas de su vida y una ambición voraz. En la subida al col de Noyers, descolgó a sus compañeros de fuga y aumentó la ventaja sobre Merckx hasta los seis minutos. Voló en la bajada y subió como un cohete hasta la estación de esquí de Orcières-Merlette: en meta, sacó 6'30" a Van Impe, segundo, y 8'42" a Eddy Merckx, tercero. La mitad de los ciclistas llegó fuera de control, incluidos Fuente y los del Kas, pero la organización los repescó como medida excepcional, teniendo en cuenta la exhibición de Ocaña. Jacques Goddet, director del Tour, escribió su crónica en el diario *L'Equipe*: «El emperador, fusilado. Jornada de ejecución. Jornada de consagración. Cuatro horas de drama y grandeza». Louison Bobet, que siguió en coche la escapada de Ocaña, se rindió a los pies del conquense: «Qué etapa más formidable. Por primera vez en muchos años, he sentido nostalgia del Tour. Estábamos desesperados, no había más corredor que Merckx, y he aquí que todo ha cambiado. La cabalgada de Ocaña me ha recordado las grandes escapadas de nuestros tiempos, como la de Coppi o las mías en el Izoard».

Ocaña, líder con 8'43" sobre Zoetemelk y 9'46" sobre Merckx, tenía el Tour en la mano. O eso parecía. Porque aquella diferencia aparentemente insuperable era un reto digno del gran Merckx. Y al día siguiente, jornada de descanso en la estación de Orcières-Merlette, los ciclistas del Molteni, la escuadra de Merckx, se entrenaron detrás de un coche a toda velocidad, a sesenta y setenta kilómetros por hora. Los ciclistas de otros equipos intuyeron que estaban preparando algo, pero no les inquietó demasiado porque la siguiente etapa no presentaba dificultades: desde la cima de Orcières-Merlette hasta el nivel del mar en Marsella.

En la salida de esa etapa, Nemesio Jiménez, corredor del Kas, observó un detalle curioso. «Me fijé por casualidad en la bicicleta de Wagtmans, el compañero de Merckx, que tenía fama de ser el mejor bajador del pelotón», contó Jiménez al periodista Arribas. «En el tubo vertical de la bici de Wagtmans había una marca, la señal de las arandelas del desviador. Se notaba que había subido el desviador de los platos. Lo había tenido que hacer para colocar un plato más grande de lo normal, uno de 54 o 55 dientes, y eso significaba que pensaban atacar desde la salida, cuesta abajo. Intenté avisar a los míos, pero ya era tarde, porque estábamos colocados en la primera línea de la salida y no podíamos movernos. Los del equipo de Merckx aparecieron tarde, pero en cuanto dieron la salida, sin respetar ni siquiera el recorrido neutralizado, salieron corriendo a pie, con la bicicleta en la mano, para tomar impulso y mover desde el principio el desarrollo más grande».

Los corredores del Molteni, con Wagtmans a la cabeza y Merckx a rueda, se lanzaron esprintando cuesta abajo, ante el desconcierto del pelotón: faltaban 250 kilómetros hasta la meta. La patada al avispero resultó efectiva. Muchos de los favoritos, Ocaña incluido, habían salido a mitad de pelotón, incluso en cola, y ahora trataban de remontar posiciones en una desbandada histérica cuesta abajo, acompañados por sus gregarios, que trataban de abrirles paso.

Y sucedió lo inevitable: un corredor nervioso que intenta colarse por una esquina, dos manillares que se enganchan, una rueda que toca a otra, y varios montones de ciclistas que ruedan por los suelos. La carrera estaba rota. Por delante, el equipo de Merckx tirando a muerte. Después, el grupo de Ocaña, intentando cazarlos, con el propio Ocaña pasando a los relevos con todas sus fuerzas. Y más atrás, otro grupo con los ciclistas del Kas, rezagados por esperar a Zubero, que contaba para los primeros puestos de la general y se había caído en la bajada.

Fue una locura de etapa: los ciclistas rodaron a casi cincuenta kilómetros por hora durante más de cinco horas. «Nunca olvidaré el día de Marsella», dice Nemesio Jiménez, del Kas. «No comimos nada. Hicimos los primeros cien kilómetros a tope, a tope, a relevos sin parar y llegamos a tenerlos muy cerca. Íbamos tirando todos los del Kas, incluido Fuente. En un repecho, Fuente se puso a tirar como un cosaco. Y gastó tanto que se vació, le entró la pájara. Quería bajarse de la bici. Yo le animaba: "Vamos, *Tarangu*, que en los Pirineos tienes dos etapas a tu medida y las vas a ganar". Fuente se agarraba a mí para no caerse. En un momento, me soltó y se bajó. Me enfadé de veras y le pegué un pescozón. Conseguí que volviera a subirse, se agarró a mi culote, Uribezubía lo empujaba por detrás, y así recorrimos los últimos 70 kilómetros de la etapa».

En Marsella, el alcalde Gaston Deferre se presentó en la zona de llegada a media tarde y observó que la carretera estaba desierta y las tribunas metálicas desmontadas. Deferre se acercó a los obreros municipales y les montó una bronca: «¡Todavía tenéis las tribunas y las vallas a medio montar!». «Señor alcalde», le contestó uno de los empleados, «las estamos desmontando. Los ciclistas han llegado hace una hora. Venían con fuego en el culo, con perdón». El equipo locomotora de Merckx había cruzado la meta con 2'12" de ventaja sobre el grupo en el que llegó Ocaña. Fuente, arrastrado otra vez por sus compañeros del Kas, había llegado a la meta de Marsella fuera de control, como en la etapa anterior. Pero la organización, teniendo en cuenta que el grupo de Merckx había completado la etapa con una hora de adelanto, y que incluso los últimos habían entrado antes del horario previsto, decidió ampliar el cierre del control: Fuente fue repescado por segunda vez consecutiva. Y en los Pirineos cumplió el pronóstico de Nemesio Jiménez: ganó dos etapas.

La diferencia que obtuvo Merckx en Marsella no resultó demasiado grande, pero era la advertencia de *El Caníbal*: no pensaba rendirse. Ocaña, enfadado porque había caído en la emboscada, criticó al belga nada más cruzar la meta: «No es de valientes atacar en un descenso». Luego, con la cabeza un poco más fría, aceptó que en la tarea de derrotar a Merckx no podía pedir ninguna tregua. Lo reconoció, años después: «Merckx y yo habíamos decidido atacarnos en cada metro de la carrera. Y sabíamos que uno de los dos no iba a terminar el Tour».

En vísperas de las etapas pirenaicas, después de que el belga robara otro puñado de segundos en una contrarreloj corta, el español contaba con 7'23" de ventaja, una diferencia holgada, pero en la etapa Revel-Luchón le esperaban un Merckx desbocado y una tormenta de granizo. En el Portet d'Aspet, primera ascensión del día, cuajó la escapada en la que Fuente se coló para ganar la etapa. Por detrás, el grupo marchaba a tren, con Ocaña soldado a la rueda de Merckx. No quería dejarle ni un metro de ventaja. Después subieron el col de Mente bajo un bochorno asfixiante, envueltos en electricidad estática y amenazados por unos nubarrones de color petróleo que se iban acumulando sobre la cordillera. Allí comenzó Merckx sus demarrajes, cada uno más brutal que el anterior, pero Ocaña respondía bien, siempre pegado a rueda, y los demás rivales cedían terreno.

Poco antes de cruzar la cima del puerto, estalló un trueno, el cielo se rasgó y una oleada de granizo cayó sobre los ciclistas. Se hizo de noche. Merckx aprovechó el diluvio y la oscuridad para tensar la cuerda y atacó en las primeras curvas del descenso: pensaba que Ocaña, con un colchón de siete minutos, tomaría precauciones y quizá cedería terreno en la bajada. Pero la carretera desapareció bajo una riada furiosa de agua, hielo y barro, y en una curva de herradura a la izquierda Merckx no pudo controlar la bici, siguió recto y chocó contra la ladera. Por detrás llegó Ocaña, con su bici ultraligera de titanio diseñada para etapas de montaña, incapaz de gobernarla en un descenso así, y cayó al lado de Merckx. Al español le criticaron que arriesgara para seguir al belga bajo aquella granizada, pero él se defendía: «Yo no quería seguirle, es que no podía parar, iba sin frenos. Los ciclistas sabemos bajar con lluvia, sabemos cómo secar la llanta con frenadas cortas y seguidas, pero allí íbamos sobre un río de barro y los frenos no servían para nada».

Merckx se levantó rápido, vio que se le había salido la cadena, la colocó y reanudó el descenso. Ocaña intentaba sacar la rueda delantera, que con el golpe se le había doblado, cuando entre el manto de granizo apareció Zoetemelk a toda velocidad, con la rueda delantera pinchada, gritando, sin poder frenar ni cambiar su trayectoria. Zoetemelk embistió a Ocaña y lo empotró contra unas rocas. El español se golpeó la cabeza y quedó en el suelo, medio inconsciente. Entonces llegó Agostinho derrapando y también cayó sobre él. Algunos espectadores corrieron para socorrerles, pero fueron arrollados por otros dos ciclistas que bajaban descontrolados. Y para rematar, una moto de la televisión francesa no pudo esquivar la montonera y cayó sobre el revoltijo de cuerpos y bicicletas.

Se levantaron todos, menos Ocaña, encogido en el suelo, gritando de dolor. Aparecieron los médicos, lo subieron a una camilla y pidieron un helicóptero para trasladarlo al hospital de Saint-Gaudens, precisamente la ciudad donde el conquense había ganado su primera etapa el año anterior. Allí le quitaron el maillot amarillo, rasgado y cubierto de barro.

Fuente, ganador de aquella etapa trágica, se cayó dos veces en esa bajada del col de Mente. También Merckx, después de caer con Ocaña, se fue al suelo otras dos veces más, se despellejó las rodillas y terminó el descenso con muchos dolores pero sobre la bicicleta. Después del terrible paso por el col de Mente, los favoritos, maltrechos, se agruparon de nuevo. Cuando Merckx vio que Ocaña no venía, renunció a tirar del grupo y se quedó a cola: quería ganar en buena lid, sin aprovecharse de un accidente de su rival. A pesar de su nobleza, el belga sufrió las iras de algunos espectadores españoles que esperaban en el Portillon, último puerto de la jornada, y que se habían enterado por la radio de la caída y el abandono de Ocaña: le insultaron, le escupieron, incluso le tiraron piedras.

En meta, un periodista risueño se acercó a Merckx con un micrófono: «Bueno, Eddy, el Tour ya está ganado». El belga calló unos segundos, le miró con desprecio y le contestó cinco palabras: «No, el Tour está perdido». El locutor del podio llamó varias veces a Merckx para que subiera a por el maillot amarillo, pero él se negó. No quería ponérselo. Su masajista lo sacó de la zona de meta llorando, y lo llevó a una de las aulas del instituto de enseñanza de Luchón, donde un médico le inspeccionó las rodillas dañadas y le diagnosticó una distensión de ligamentos. «No es grave», dijo el médico, «puede continuar en carrera sin problemas». «No quiero seguir», contestó Merckx.

En el hotel, el director deportivo y los compañeros del equipo Molteni trataron de convencerle para que continuara: «Tienes que seguir, Eddy, no puedes dejar tirados a tus compañeros, se perderán el dinero de los premios. Y no querrás que ganen el Tour Zoetemelk o Van Impe, ese par de chuparruedas...». Albani, patrón del equipo Molteni, se reunió a solas con Merckx y apeló de nuevo a su responsabilidad: de él dependían los premios de sus gregarios, la rentabilidad publicitaria del equipo, las ilusiones de los aficionados belgas.

Al día siguiente, en la minietapa de 19 kilómetros hasta la cumbre de Superbagnères, que también ganaría Fuente, el belga se presentó en la salida sin el maillot amarillo. Permaneció sentado en un rincón, rodeado por sus compañeros de equipo y tratando de ocultarse. Lloraba en silencio. Se le acercó una nube de periodistas y le empezaron a hacer preguntas, pero Merckx no podía hablar. Le temblaba el rostro. Se tapó la boca con la mano un par de veces, para sofocar los sollozos. Y al final, con la voz rota, pronunció dos frases: «Habría preferido quedar segundo antes que ganar en estas circunstancias. Será una victoria manchada para siempre». La organización emitió un comunicado para explicar por qué no multaba a un líder que se negaba a vestir el jersey amarillo, como preveía el reglamento: «El corredor Eddy Merckx ha informado a los directores de la carrera que desea abstenerse de vestir el maillot amarillo en la etapa de hoy, para rendir homenaje al valor desafortunado de Luis Ocaña, a quien una grave caída ha obligado a abandonar siendo líder del Tour. El jurado de comisarios, comprendiendo la caballerosidad del gesto, ha decidido derogar las disposiciones del artículo 14 del reglamento y autoriza al corredor Merckx a no portar hoy el maillot amarillo de líder».

El patrón Albani conocía bien el corazón de Merckx. Sabía que seguiría corriendo por su afilado sentido del deber y su amor por la profesión: el belga se consideraba siempre en deuda con el sacrificio de sus gregarios y también sentía un respeto profundo por sus rivales, a los que jamás menospreciaba. Unos años después, en 1975, *El Caníbal* perdió el maillot amarillo y las posibilidades de ganar un sexto Tour, batido por el francés Thévenet. «En el ciclismo no existen los milagros», dijo entonces Merckx. «Me he encontrado con un Thévenet demasiado fuerte para mí y no hay nada más que decir». Jamás ponía excusas. Y las tenía. En sus inicios como ciclista profesional, en 1969, mientras corría tras moto en un velódromo, sufrió una caída terrible: el piloto, que era su entrenador y amigo íntimo Fernand Wambst, murió sobre la pista. A Merckx se le torció la columna vertebral, y este problema le ocasionó muchos dolores musculares en los años siguientes. Para los aficionados, el belga era un ciclista curiosamente obsesionado por medir al milímetro la posición del sillín, el manillar y los pedales, pero él nunca contó que lo hacía por buscar la postura que no le reavivara los dolores de la espalda, la zona lumbar y las piernas. Los problemas se le agravaron en los últimos años de su carrera: el declive le llegó muy pronto, con 31 años, pero en su primer Tour fracasado, el de 1975, no puso ni media excusa. Ni siquiera cuando después de perder el liderato sufrió una caída tonta que le produjo una fractura abierta en la cara con hundimiento de maxilar y pómulo. Tenía el rostro aplastado y no podía comer; los médicos le ordenaron que abandonase pero él se negó y exigió que no se divulgara nada sobre la gravedad de sus heridas. «Durante cuatro días solo bebió zumos de naranja o de arroz que yo le trituraba en un aparato para bebés que compramos a toda prisa», contó su masajista. «Todo el mundo le decía que abandonara, para preparar el final de la temporada y los Campeonatos del Mundo. Pero Eddy pensaba que sus compañeros merecían el dinero del segundo puesto y que él debía estar en el podio, un escalón por debajo de Thévenet, como homenaje al triunfo merecido del francés». Merckx terminó el Tour en segunda posición, tras un sacrificio atroz, y en un gesto de grandeza intentó una última escapada en las calles de París. «Nunca jamás Eddy sufrió tanto», dijo el masajista.

En el invierno de 1971 Ocaña confesó en una entrevista que después de la caída en el col de Mente sufrió una crisis muy aguda: «Estoy totalmente convencido de que habría ganado el Tour. Ya había pasado lo más duro, solo faltaban seis etapas, quedaba poco terreno peligroso. Cuando volví del hospital a casa, me hundí. Cualquier carrera se puede ganar otro año, pero el Tour...». El pequeño Jean-Louis, hijo de Ocaña, posaba montado en un triciclo, respondía a los periodistas y tomaba el pelo a su padre: «Quiero ser Eddy Merckx, porque gana siempre».

En 1972 Eddy Merckx siguió ganando, como siempre. En el Tour, Ocaña sufrió una bronquitis y corrió varias etapas con fiebre, tosiendo y escupiendo sangre, hasta que los médicos le obligaron a retirarse. Merckx obtuvo su cuarto triunfo consecutivo sin oposición: cinco etapas más la crono por equipos, Gimondi y Poulidor a once minutos, y Van Impe y Zoetemelk a veinte.

En 1973, Merckx siguió ganando, como siempre. Pero cambió el escenario: decidió correr la Vuelta a España, que le faltaba en el palmarés –y la ganó, desde luego– y también se apuntó otra vez el Giro de Italia. Luego renunció al Tour. La sombra de su ausencia eclipsaba la carrera: los periódicos hablaban de una edición descafeinada. Ocaña, enrabietado por el desprecio, decidió que ese año no le bastaba con derrotar a los demás aspirantes al trono vacío de Merckx (Poulidor, Zoetemelk, Van Impe, Thévenet): quería demostrar que él era el mejor ciclista, con Merckx o sin Merckx, quería poner de rodillas al Tour, devorar etapas, comerse todas las montañas juntas.

Y le pusieron todos los Alpes juntos. Para el 7 de julio, San Fermín, los organizadores dispusieron un peculiar encierro de 237 kilómetros con las cornadas de Madeleine, Télégraphe, Galibier, Izoard y Les Orres. Ocaña ya era líder, después de vencer en la cima de Aspro-Gaillard dos días antes, y además contaba con la colaboración pactada de los equipos españoles: antes del Tour, el Kas aceptó echar una mano a Ocaña en la clasificación general, a cambio de que Fuente ganara la montaña y alguna etapa, y el más modesto La Casera también se apuntó al trato a cambio de que le facilitaran un triunfo de etapa. Pero a Fuente se le cruzaron los cables una vez más: «Voy a romper el pacto. Quiero ganar el Tour», le dijo un día a su compañero González Linares. Éste intentó disuadirle, pero el 7 de julio Fuente se despertó con las piernas efervescentes.

El pelotón, asustado ante el correcalles alpino de más de doscientos kilómetros y cinco puertos colosales, subió la Madeleine con un ritmo tranquilo. Salvo los primeros diez o doce de la clasificación, el resto de los corredores solo aspiraba a sufrir lo menos posible. Pero en el primer repecho de la subida al Télégraphe, Fuente salió disparado. Algunos ciclistas, bravucones pero incapaces de seguirle, le lanzaron una colección de insultos y maldiciones. Fuente ya se había esfumado. Al principio, sus rivales quizá pensaron que *El Tarangu* solo buscaba los puntos de la montaña, pero pronto vieron que el asturiano no se andaba con cálculos mezquinos: había salido a reventar la etapa. Y a reventar a Ocaña, si podía.

El conquense se dio cuenta y atacó a por Fuente. Nueve ciclistas se pusieron a su rueda, pero a Ocaña ese día no le importaban los figurantes. Porque Ocaña, en realidad, no saltó a por Fuente: saltó a por el Tour. Decidió pedalear al límite de sus fuerzas durante siete horas, vestido de amarillo y a través de cuatro puertos fuera de categoría. Si fallaba, reventaría hasta dejarse las entrañas en la carretera. Si vencía de semejante manera, los aficionados, los periodistas, los Alpes y el Tour no tendrían más remedio que olvidarse de Merckx y arrodillarse ante él.

Ocaña, quijotesco siempre, aceptaba la compañía de un escudero para su hazaña. Así que cuando alcanzaron a Fuente, le propuso que se marchara con él hasta la meta, porque así el asturiano podría ganar todos los puntos de la montaña, la etapa y el segundo puesto en París. Pero *El Tarangu*, que esa mañana se había propuesto ganar el Tour, solo le dio una respuesta: bajó dos piñones y esprintó con rabia, como si la meta estuviera doscientos metros más allá. Faltaban 170 kilómetros.

Ocaña saltó a la rueda de Fuente. También le siguieron Zoetemelk, Thévenet y el francés Mariano Martinez. Se reagruparon los cinco y Fuente se puso a cola, pero unos metros más adelante volvió a atacar. Esta vez solo le siguió Ocaña, quien trató de calmar al asturiano para que no continuara con ese derroche absurdo. Fuente no contestaba. Aquello era ya un pulso entre dos testarudos. Un asunto de honor, innegociable. *El Tarangu* soltó un nuevo hachazo, y otro, y otro más, y una docena más. Ocaña resistió hasta que el asturiano empezó a flaquear, y entonces se tomó su venganza: «Sígueme ahora, si puedes». Aceleró de manera progresiva y Fuente, doblado sobre la bici, asfixiado y con la boca abierta, le siguió como pudo. Por la cima del Galibier, a 140 kilómetros de meta, Thévenet, Martinez y López Carril pasaron a un minuto de los dos españoles; Zoetemelk, Van Impe, Poulidor y Perin, a cuatro. Después, el rosario de la aurora.

Ocaña recorrió el resto de la etapa con Fuente a su rueda. No le importaba la compañía, él pedaleaba concentrado para soportar el dolor y obsesionado en derrotar a las montañas. Bajaron el Galibier, subieron el Izoard, volaron por los valles hacia Les Orres. Y a falta de treinta kilómetros, Fuente pinchó. Ocaña siguió, con la cabeza metida en el manillar, subió hasta Les Orres bañado en agonía, cruzó la meta, dejó por fin de pedalear, cerró los ojos y se derrumbó.

Mientras sus auxiliares le atendían en el suelo, llegó Fuente, a un minuto. Ocaña se levantó, bebió unos tragos y contestó a dos o tres preguntas de los periodistas: «No había sufrido tanto en mi vida», repetía. Entonces entraron Thévenet y Martinez, a siete minutos. El conquense subió al podio, recibió las flores, los besos, el maillot amarillo, y vio aparecer al italiano Perin, a doce minutos. Luego se metió en el coche del equipo para volver al hotel y escuchó que llegaban Zoetemelk y Van Impe, a quince minutos. Cuando Ocaña abría la puerta de su habitación, Poulidor, Agostinho, Van Springel, Ovion y Gandarias terminaron la etapa, a veintiún minutos. Se duchó, recibió el masaje y merendó. Había pasado una hora y la mayoría de los corredores aún no había aparecido por Les Orres.

Ocaña, ganador de seis etapas, había devorado el Tour. En la clasificación final, Thévenet, segundo, acabó a dieciséis minutos, y Fuente, tercero, a dieciocho. Durante mucho tiempo, los periodistas le siguieron preguntando por aquella escapada heroica camino de Les Orres: «Aquel día nos hiciste recordar a Coppi, a Bobet, a Koblet», le decían. Y él contestaba: «Yo soy Luis Ocaña».

EL ABRAZO ENVENENADO

«El próximo año ayudaré a Lemond a ganar su primer Tour». Palabra de Hinault bajo el Arco del Triunfo, donde acababa de vestirse su quinto maillot amarillo en París. El francés se había unido a Anquetil y Merckx en la nómina de pentacampeones. Pero en aquella edición de 1985, Hinault se rompió la nariz en vísperas de las últimas etapas de montaña y sostuvo el liderato gracias a su compañero estadounidense Lemond. Una tromba de escaladores –Herrera, Parra, Roche, Delgado– azotó los Pirineos, y el francés, que no podía respirar bien, estuvo a punto de ahogarse. Los escaladores quedaban a demasiados minutos en la general y no suponían una amenaza, pero Lemond, segundo en la clasificación, tenía fuerzas suficientes para saltar ante esos ataques. En las escaladas al Tourmalet y a Luz Ardiden, el americano no cayó en la tentación de seguir a Delgado –camino de su primera victoria en el Tour– ni al colombiano Lucho Herrera: se dedicó a marcar el ritmo del grupo y a llevar a Hinault lo más cómodo posible. Pero al día siguiente, subiendo el Aubisque, Lemond saltó tras la rueda de Chozas y Roche –con la excusa de que el irlandés era tercero en la general–, se fue con ellos, puso tierra de por medio y se convirtió en líder virtual de la carrera. Por detrás, Hinault sufría a rueda de sus gregarios Bauer y Ruttimann. El director deportivo de La Vie Claire, el equipo diseñado y patroneado en la práctica por Hinault, aceleró su coche hasta la cabeza de carrera y ordenó a Lemond a gritos que frenara. El americano obedeció, pero mientras esperaba a Hinault no paró de dar puñetazos de rabia al manillar. Esa noche, Lemond no quiso bajar a cenar hasta que Hinault no hubiese abandonado el comedor.

El francés conservó el maillot amarillo, pero Lemond ganó la última crono con claridad y terminó el Tour a menos de dos minutos, todo un aviso: era tiempo para el relevo generacional. Entonces Hinault aseguró que no le obsesionaba una sexta victoria en el Tour, ese Santo Grial del ciclismo, y que el año siguiente participaría sólo para devolverle el favor a su discípulo americano.

Pero un año después todas esas palabras se disolvieron en el col de Burdingurutzeta, el primer puerto serio de la edición de 1986. En cuanto vio un repecho duro, Bernard Hinault demarró y se fugó con Pedro Delgado: el segoviano ganó la etapa en Pau y el francés se vistió de amarillo, después de sacarle cuatro minutos y medio a Lemond. El americano, obligado a permanecer en el grupo para proteger la fuga de su compañero, cruzó la meta con un enfado tremendo.

Hinault era un ciclista de triunfos brutales, que acumulaba etapas y sepultaba a sus rivales con minutadas humillantes. Sin embargo, siempre se preocupó por dotar a sus victorias de cierta elegancia. En 1979, por ejemplo, llegó al paseo final de los Campos Elíseos con trece minutos de ventaja en la general sobre Zoetemelk y veintiséis sobre Agostinho, pero en un arranque soberbio atacó al pelotón por las calles de París y se llevó a Zoetemelk a su rueda. Los dos primeros de la clasificación se presentaron solos ante el Arco del Triunfo, una puesta en escena ideal para Hinault: derrotó al esprint a su mayor rival y terminó el Tour alzando los brazos vestido de amarillo, ante el delirio de los franceses. A Hinault, preocupado porque debía escalar los puertos «manejando los cambios con el virtuosismo de un violinista», la intención estética le traicionó en 1986. Después del golpe a Lemond de la víspera, Hinault, borracho de épica, quiso componer su pieza gloriosa con todos los detalles escogidos a conciencia: un francés con el maillot de líder ataca en el descenso del Tourmalet en busca del sexto Tour.

Por el camino le quedaban otras tres montañas. Y una advertencia legendaria que desoyó: el Tour limita la ración de gloria incluso a los ciclistas más grandes, y quienes habían pretendido conquistarlo por sexta vez sufrieron desfallecimientos feroces. El Tour, devorador de sacrificios, siempre acaba cobrando su tributo: incluso a Merckx, vestido de amarillo y dando eses como una marioneta rota en Pra

Loup; incluso a Induráin, fundido en Les Arcs. A Hinault le ocurrió lo mismo. Voló en la bajada del Tourmalet, escaló en solitario el Aspin y el Peyresourde, pero en la ascensión final a Superbagnères el Tour se le agarró a los muslos y le hizo pagar el sacrilegio con un dolor terrible en cada pedalada. Lemond le sobrepasó con furia, sin mirarle, y esta vez apretó el paso para intentar rematarlo. Hinault llegó a meta con los ojos en blanco, cuatro minutos más tarde que su compañero, y salvó el maillot por los pelos. Pero faltaban los Alpes.

En las etapas de transición, Hinault negó la promesa que le había hecho a Lemond el año anterior y despreció al americano por su modo prudente de correr, impropio de los grandes campeones. Los aficionados franceses, ilusionados por que Hinault conquistara el sexto Tour, se volvieron contra el estadounidense. Sin embargo, Hinault flaqueó de nuevo en el Izoard y cedió el maillot amarillo a Lemond, en vísperas de la gran etapa alpina con tres puertos fuera de categoría: Galibier, Croix de Fer y Alpe d'Huez. El margen en la clasificación era escaso; Hinault, rebelde y orgulloso, todavía guardaba una esperanza.

En el aire del Galibier, a 2.600 metros de altura, saltaban chispas. Los corredores del equipo La Vie Claire comandaban el grupo y, en apariencia, protegían el maillot amarillo de Lemond. Mientras tanto, Hinault y Lemond, que no se hablaban, trataban de reclutar ayudas entre los gregarios del equipo. Nada más coronar la cima del Galibier, Hinault se acercó a su compañero Steve Bauer, le hizo un gesto hacia adelante con la barbilla y le pasó una consigna muy simple: «¡Hop!». Bauer se lanzó cuesta abajo, con Hinault a rueda, mientras el líder Lemond maldecía la traición de sus dos compañeros. El americano saltó a por ellos junto con el donostiarra Pello Ruiz Cabestany, y los cazó en el repecho del Télégraphe. De los cuatro fugados, tres pertenecían al mismo equipo y se acababan de declarar la guerra. Olía a quemado y nadie sabía muy bien qué hacer en una de las escapadas más extrañas de la historia.

Hasta que Hinault lo resolvió por las bravas: demarró de nuevo en el descenso del Télégraphe y puso tierra de por medio él solo. Bauer, que había ayudado a Hinault en su ataque anterior, quedaba ahora como gregario de Lemond para tirar a por el francés. El director Koechli se encontraba igual de esquizofrénico: Lemond le llamó para preguntarle cuáles eran sus instrucciones y Koechli, desquiciado, le contestó desde el coche que hiciera lo que le diera la gana. Lemond salió a por Hinault, con Cabestany a rueda. El donostiarra relata el episodio en su libro *Historias de un ciclista*: «En teoría, Lemond no podía tirar a por Hinault porque era de su equipo. Bueno, eso según las normas del compañerismo, porque el americano no solo tiraba como un poseso sino que me ofreció un dinero por colaborar yo también. Como pensaba hacerlo de todas las maneras, acepté, tiré entre los dos puertos, le cogimos y me quedé despatarrado a mitad de la subida a la Croix de Fer. Hinault y Lemond llegaron agarrados de la mano a Alpe d'Huez. Como buenos compañeros de equipo...».

Cuando Hinault y Lemond quedaron solos en cabeza, el francés, resignado, asumió su nuevo papel: se convirtió en protector de su pupilo y le guió por una suerte de camino iniciático. Primero marcó el ritmo durante toda la subida a la Croix de Fer y dirigió la bajada, con Lemond siempre a rueda. El americano quiso darle algún relevo en la llanura previa a la ascensión final, pero el francés no le dejó. Siempre en cabeza, Hinault subió el Alpe d'Huez, santuario del ciclismo, aclamado por los fieles. Y los dos compañeros de equipo se presentaron juntos en la recta final. Doscientos metros antes de la meta, se abrazaron sonrientes, se felicitaron y entraron agarrados de la mano: etapa para Bernard, Tour para Greg.

En París, Hinault declaró que había querido darle a Lemond la mejor ayuda para convertirse en el dueño del Tour: «No le he ahorrado nada: ataques, declaraciones fuertes... Así, en los próximos años sabrá aguantar la presión de sus rivales. En Alpe d'Huez le llevé a rueda para que estuviera fresco por si nos cogían y porque me dijo que tenía miedo de la multitud». Lemond, con el primero de sus tres Tours en el bolsillo, respondió con ira: «En Alpe d'Huez, Hinault me pidió por favor que no le atacase y que le dejase ganar la etapa, porque el Tour ya era mío. Si llego a saber lo que iba a declarar después, le meto cinco minutos».

LOS RELOJES DE INDURÁIN Y DELGADO

El Tour de 1989 comenzó en Luxemburgo con una etapa prólogo de mero trámite, como siempre, una pasarela de ocho kilómetros para que el público viera desfilar a los ciclistas. El recorrido era tan corto que a los realizadores de la televisión francesa les pareció innecesario seguir a los favoritos con una moto: se conformaron con poner dos cámaras fijas en las dos últimas rectas y registrar la llegada de los corredores uno tras otro. Y así fueron apareciendo, minuto a minuto, Breukink, Hampsten, Parra, Rooks, Bugno, Mottet, Fignon, Lemond, Kelly, las principales figuras. El mejor tiempo correspondía al holandés Breukink y ya solo faltaba por llegar Pedro Delgado, ganador de la edición anterior. La cámara fija de meta retransmitía la imagen de la recta final, vacía, y un cronómetro en el que corrían los minutos y los segundos de Delgado. El segoviano debía de estar a punto de aparecer. Pero no aparecía.

Los telespectadores españoles, inquietos, escucharon cómo el locutor Pedro González dejaba colgando un comentario despreocupado y se callaba de golpe. El silencio duró diez o quince segundos. En ese intervalo tenso, la cámara seguía con la imagen fija de la meta. Ningún corredor a la vista. González se había alejado del micrófono para atender algún aviso, pero de fondo se oía un barullo de voces alborotadas en la tribuna de los comentaristas de todas las televisiones. De pronto, se le oyó un comentario alarmado: «¡No fastidies!». González carraspeó, templó los nervios y se dirigió de nuevo a los espectadores con voz grave: «Atención, nos comunican que Pedro Delgado ha llegado tarde a la salida de la contrarreloj».

Perico ya debía haber aparecido en pantalla. La televisión francesa tenía millones de espectadores pendientes, pero durante varios minutos solo pudo ofrecerles el plano fijo de la recta final, una chapuza imprevisible de los realizadores que, sin embargo, añadió angustia a la escena. ¿Dónde estaba Perico? No había una sola imagen suya. ¿Con cuánto tiempo de retraso había salido? Se decía que más de dos minutos, pero no se sabía nada en claro. En el cronómetro de la pantalla se podían leer el mejor tiempo de la etapa (Breukink, 9'54") y el tiempo de Pedro Delgado, que goteaba segundo tras segundo, en una hemorragia dramática, por encima ya de los diez minutos. Los locutores franceses aseguraban que justo antes de salir el segoviano estaba tomando un café y se le había pasado la hora. Once minutos, y ni rastro de Perico. Un cámara de Televisión Española se acercó a los micrófonos para contar que el segoviano se había perdido por las calles de Luxemburgo mientras calentaba, que los auxiliares, los periodistas y hasta algunos espectadores corrieron a buscarle, y que al rato Delgado asomó por una esquina. Cuando el cronómetro pasaba ya de los doce minutos, el segoviano apareció por fin en pantalla, esprintando como un poseso, vestido con el maillot amarillo por última vez en su vida.

Perico corrió la contrarreloj sin saber muy bien qué pasaba. Unos minutos antes de su turno, el segoviano había decidido alejarse de la zona de salida, para evitar el acoso de fotógrafos, espectadores y cazadores de autógrafos, y se metió por un laberinto de calles en el corazón de Luxemburgo. Se cruzó con Thierry Marie, especialista en contrarrelojes cortas, y Delgado le preguntó cómo le había ido: «Bastante bien. Hay que ir a tope desde el principio, pero luego viene un repecho en el que se debe regular un poco con el desarrollo, para no atascarse». Perico le agradeció las explicaciones y se metió en una calle en cuesta, tranquila y sin coches, para hacer un par de esprints a modo de calentamiento. Volvió con tranquilidad hacia la rampa de salida. Pensaba que le sobraban minutos.

Cuando se acercó a una zona en la que ya se agolpaba el público, alguien le gritó en español: «¡Perico, Perico, que te están llamando!». Delgado siguió tranquilo hacia la rampa. Empezó a ver que la gente se le acercaba corriendo, nerviosa, gritando: «¡Perico, Perico!». Pero el segoviano estaba acostumbrado a que los aficionados le llamaran a gritos, así que siguió con tranquilidad, sin hacer caso. Entre el público apareció su mecánico, Carlos Vidales, muy agitado, con dos ruedas en la mano: «¡Corre, Pedro, que tienes que salir ya!». Y Pedro tampoco se apresuró: Vidales siempre se ponía muy nervioso en las contrarrelojes. Algunos periodistas españoles, que corrían por las calles de alrededor para buscar al segoviano, le vieron pasar con parsimonia. Él creía que le sobraba tiempo. Y no cayó en la cuenta de que ocurría algo extraño hasta que vio a su director, José Miguel Echávarri, haciéndole gestos histéricos: «¡Vamos, Pedro, arranca de una vez!». Delgado sospechó por fin que salía con retraso, y aceleró. Sabía que cuando un corredor llega tarde a una crono no es obligatorio que suba a la rampa de salida, basta con que arranque directamente desde la línea. Pero alguien de la organización le hizo frenar y lo subió a la rampa, y allí un comisario lo agarró del sillín para darle la salida. «Menos mal», pensó Delgado, «eso quiere decir que estoy en tiempo». Pero Echávarri seguía gritando, desesperado. Delgado salió, por fin, sin terminar de entender qué pasaba.

Corrió los ocho kilómetros, cruzó la meta y entonces vio que sus auxiliares le esperaban enmudecidos, que todo el mundo le miraba con cara de susto. Pensó que algo gordo había pasado, y decidió tirar directo hasta el hotel, sin detenerse. Allí se lo explicaron. Solo había tardado catorce segundos más que Breukink en completar el recorrido, un buen tiempo que le habría colocado entre los diez o doce primeros de la etapa. El problema era que había salido dos minutos y cuarenta segundos tarde. Delgado había regalado casi tres minutos a todos sus rivales.

Si la pérdida se hubiera limitado a esos tres minutos, Delgado probablemente habría ganado el Tour. Pero aún faltaba otro desastre mayor. Los telediarios de esa noche y los diarios del día siguiente abrieron con el enorme despiste de Perico, que había echado por la borda un Tour que llevaba un año preparando y en el que era favorito principal. Se dijeron mil tonterías, como que habían intentado raptarle o que había recibido amenazas terroristas. «Esa noche Perico se hundió», contó Echávarri, «lloraba como un niño». Y Perico no pudo dormir: «Perdí bastante peso esa noche, de no dormir, de los nervios, de los sudores, de dar vueltas y vueltas en la cama». Al día siguiente se levantó fatal, muy nervioso, sin temple ni para desayunar. La jornada se dividía en dos sectores: el matutino, una etapa muy corta y llana, y el vespertino, una contrarreloj por equipos. Por la mañana, un Perico ansioso por arreglar el estropicio de la víspera atacó varias veces a un pelotón lanzado por los equipos de los esprinters: aquello era un derroche de fuerzas sin pies ni cabeza. Y lo pagó por la tarde. En los últimos kilómetros de la crono por equipos, Delgado, que apenas había dormido, apenas había comido y había fundido sus reservas en el sector de la mañana, agarró una pájara. Todo el equipo Banesto se quedó a esperarle para llevarle hasta meta. Perdió cuatro minutos más. El Tour apenas había recorrido doscientos kilómetros y Delgado estaba clasificado en el último puesto, el 198º, a siete minutos y medio del líder Breukink.

Durante un par de etapas, el segoviano pedaleó a cola de pelotón, desmoralizado. Los periodistas especulaban con la posibilidad de su abandono. El propio Fignon le preguntó por qué no se marchaba a casa, si ya no tenía nada que hacer. Una vez, Delgado se detuvo a orinar y todas las motos se arremolinaron en torno a él para fotografiar su supuesta retirada. Perico tardó un par de días en calmarse y en centrarse de nuevo en la carrera, y a partir de ahí comenzó una remontada magistral. En una larguísima contrarreloj plana, un terreno en el que esperaba perder unos cuantos minutos, Delgado quedó segundo tras Lemond, a un suspiro de ganar la etapa, y sacó buenas ventajas a casi todos sus rivales. En las etapas de los Pirineos recuperó cuatro minutos a Lemond y Fignon, los dos corredores que se turnaban una y otra vez para vestir el maillot amarillo, pero en los Alpes perdió chispa y apenas recortó más tiempo a los dos primeros. Llegó a la crono final de París con dos minutos de desventaja sobre Fignon: el segoviano estuvo a punto de levantar la losa de Luxemburgo, pero le faltaron etapas. Y tras aquella contrarreloj histórica, en la que Lemond arrebató el Tour a Fignon en su propia ciudad por solo ocho segundos, Delgado subió al tercer escalón del podio final. Había sido el corredor más fuerte. Pero también el más despistado.

Delgado fue el corredor más fuerte en varios Tours, aunque solo ganó uno: «Pedro era un ganador de tres Tours: el del 87, el del 88 y el del 89», dijo José Miguel Echávarri. Y el propio Perico añadía una cuenta más a la sarta de ocasiones desperdiciadas: «El primer Tour que tenía que haber ganado fue el del 83». El segoviano era un corredor genial, de arranques eléctricos, capaz de levantarse del sillín para atacar y hacer que en ese instante un calambrazo de euforia hiciera saltar a todo un país del sillón. Pero ese mismo carácter apasionado le costó unas cuantas derrotas rocambolescas, que hicieron de él un personaje aún más entrañable.

Si no ganó el Tour del 83, por ejemplo, fue porque entonces era un chaval de 23 años, inexperto y un poco temeroso en su primera participación, y porque cuando estaba a punto de alcanzar el maillot amarillo bebió un bidón de papilla nutritiva en mal estado, se le hinchó el estómago y perdió veinticinco minutos. Ese año Delgado comenzó una historia de amores y odios con el Tour, una aventura de hazañas y desastres, y sedujo instantáneamente a los franceses en el descenso del Peyresourde. La etapa terminaba en Luchón, al final de la bajada, y aquel español desconocido se lanzó en busca del escocés Millar, que le llevaba un minuto de ventaja. Los locutores franceses aullaron, entre aterrorizados y encantados, cuando Perico levantó el culo del sillín, colocó el pecho sobre el manillar y asomó la cabeza, hasta rozar la rueda delantera. Su bici, a noventa kilómetros por hora, traqueteaba sobre los baches como una olla a punto de explotar, pero él mantenía la frente a un palmo del tubular delantero. Delgado consiguió ver a Millar por las calles de Luchón, pero no le alcanzó y perdió la etapa por seis segundos. Los comentaristas rebuscaron en la lista de dorsales el nombre de aquel chalado, pero como el tal Pedro Delgado, del equipo Reynolds, no les sonaba de nada, lo bautizaron como *le fou*, el loco.

En esa misma etapa se puso líder con cinco minutos de ventaja el francés Pascal Simon, quien al día siguiente cayó y se fracturó el omoplato. Pero se negó a subir a la ambulancia, y aunque apenas podía apoyar el brazo en el manillar, resistió hasta meta. Aguantó toda una semana sobre la bici con el maillot amarillo y el omoplato roto, quebrado en llantos de dolor cada vez que cruzaba una meta. Simon apenas podía ponerse de pie sobre la bici y completó la cronoescalada al Puy de Dome haciendo fuerza con un solo brazo y retorciéndose como un jorobado. Incluso allí mantuvo el liderato, pero ya se daba cuenta de que tenía los días contados: Simon sollozaba en el podio, mientras las azafatas intentaban vestirle el maillot amarillo sobre su hombro partido. Dos días después, camino de Alpe d'Huez, la agonía pudo con él. Se bajó de la bici en plena carrera y lo llevaron al hospital para operarle inmediatamente.

La cronoescalada al Puy de Dome fue el bombazo definitivo de los ciclistas del Reynolds: Ángel Arroyo primero, Pedro Delgado segundo. Los dos españoles se acercaban al podio y aún quedaban los Alpes por delante. En la etapa de Alpe d'Huez, Arroyo sufrió una pájara extraña: en los primeros puertos perdió doce minutos y después recuperó ocho. Delgado, tras una escalada sensacional a Alpe d'Huez, se colocó segundo en la general, a solo un minuto del nuevo líder, Fignon. Durante la posterior jornada de descanso, los periodistas corrieron a entrevistar a aquel chaval segoviano, al que nadie conocía una semana antes pero que de repente parecía capaz de ganar el Tour. Delgado se mostró precavido en sus declaraciones. Pero al día siguiente esperaba una etapa con varios puertos fuera de categoría y final en Morzine, y guardaba la secreta esperanza de conquistar el maillot amarillo: «Me encontraba pletórico de fuerza y de moral. Pensaba que iba a machacar a Fignon, que lo iba a dejar clavado», confesó años más tarde.

Pero en el avituallamiento Perico bebió la maldita botella con papillas energéticas. A los pocos kilómetros, sintió el estómago muy pesado. Se acercó al coche del equipo y pidió una pastilla para hacer la digestión, pero no sirvió de nada. Le aumentaron los dolores. Sentía las piernas bien, pero tenía el estómago en la boca y se descolgó del grupo de Fignon. No pudo volver a comer y entonces agarró una pájara de campeonato: llegó a meta con veinticinco minutos de retraso. Adiós al Tour. Mientras tanto, en la llegada, el masajista Manu Arrieta preparaba las meriendas de los ciclistas. Se le ocurrió beber una de esas papillas y la escupió al instante: estaba podrida. «Llegamos a la conclusión de que Arroyo, en el día de Alpe d'Huez, y yo, en el de Morzine, perdimos el Tour por culpa de aquellas papillas», dijo Perico. Arroyo remontó posiciones en las últimas etapas de montaña y en la crono final, y terminó segundo en París por detrás de Fignon. Delgado, después de rozar la gloria, acabó decimoquinto. Pero ya se había enamorado del Tour y ya había comenzado su serie de hazañas y desastres.

En 1984, a pocos días del final, Delgado marchaba cuarto en la clasificación, detrás de tres monstruos como Fignon, Hinault y Lemond. En la etapa de Morzine –de nuevo Morzine– ganó Arroyo. Delgado, que iba detrás de él, se cayó en la bajada del Joux Plane y se fracturó la clavícula.

En 1985 llegó su primer triunfo de etapa, en la cumbre de Luz Ardiden, y terminó sexto en París. En 1986, cuando ya había ganado una etapa pirenaica y parecía el máximo aspirante al escalón del podio que dejaban libre Lemond e Hinault, su madre murió repentinamente. Delgado salió camino de Alpe d'Huez, pero no soportó tanto sufrimiento y se bajó de la bici. En 1987 ganó una etapa, se vistió de amarillo en Alpe d'Huez y salió como líder en la crono final: en la víspera de llegar a París, Roche le arrebató el Tour por cuarenta segundos. Entonces, todos se acordaron de los 41 segundos que le ganó el irlandés a Delgado en la crono por equipos: contando solo los tiempos individuales, en el verdadero cara a cara entre los dos, el segoviano habría ganado el Tour por un segundo. Fabulaciones inútiles.

Y en 1988, por fin, ningún accidente, ningún desfallecimiento, ninguna mala noticia le cerró el paso hacia la victoria final. Pero poco faltó. En Alpe d'Huez, el segoviano volvió a vestirse de amarillo y eliminó a todos los favoritos: Fignon, Breukink, Herrera, Bernard, Kelly. Solo quedaron cerca de él Rooks, Parra y Theunisse, pero los remachó una y otra vez en la cronoescalada triunfal de Villard de Lans, en los Pirineos y en el Puy de Dome. Sin embargo, a pocos días del final, uno de los jueces del control antidopaje filtró un rumor que estalló en todos los medios de comunicación: Delgado había dado positivo. El asunto tardó varios días en aclararse, pero mientras tanto los organizadores trataron de salvar la imagen de la carrera y quitarse de encima un corredor manchado. Sugirieron a los directores del Reynolds que Perico fingiera una caída, una lesión, una enfermedad, y que se retirara. Delgado se empeñó en seguir. Al final se descubrió que la acusación de dopaje se basaba en el descubrimiento de una sustancia que no estaba prohibida. Perico respiró, ese mismo día trituró a sus rivales en el Puy de Dome y llegó a París vestido de amarillo. Y esa noche, después de la tradicional cena en el Lido, cuando las *vedettes* llamaron a Perico para que subiera al escenario con el maillot amarillo, el segoviano tardó en subir. Toda la sala le esperaba, pero él buscaba y rebuscaba, nervioso, entre sus bolsas. Le habían robado el maillot amarillo.

A Miguel Induráin no le pasaban esas cosas. El navarro rompió los tópicos que encasillaban a los ciclistas españoles como escaladores alocados, de piernas fuertes y cabeza volátil, incapaces de medir los esfuerzos en las vueltas por etapas, imprevisibles. Y encandiló a los aficionados porque parecía que sus victorias en el Tour obedecían a leyes físicas: Induráin conocía los resortes de la carrera francesa mejor que nadie, cumplía con lo que tenía que hacer y la consecuencia inevitable era el maillot amarillo en París. Muchos críticos se le echaron encima y le achacaron que se conformaba con ganar fácil: no se daban cuenta de que el gran mérito de Induráin consistía justo en eso, en hacer que ganar un Tour pareciera fácil.

Volvemos a la frase clave de Miguel: «He llegado muy lejos en el dolor». Y a la intuición de otro Miguel, el escritor Delibes, quien pedaleó miles de kilómetros en su juventud y sospechaba que sobre la bicicleta todos lo pasan fatal, pero que al final gana quien es capaz de disimularlo mejor.

Induráin pasó ratos muy malos en el Tour (subiendo el Joux Plane bajo un aguacero en 1991; desfallecido y acosado por una marea de aficionados italianos en Sestrieres en 1992; con cuarenta de fiebre en la crono final de 1993) pero nadie se atrevió a atacarle. Porque pensaban que para Induráin, siempre con cara de póker, el Tour era muy fácil. El navarro, un campeón de fuerza brutal y actitudes humildes, se labró una imagen mayestática, casi divina, y consiguió tal dominio psicológico sobre sus rivales que estos se sentían honrados por terminar en segunda posición justo detrás de él, o satisfechos con los triunfos de etapa que el navarro, discreto y elegante, no disputaba.

Induráin creció a la sombra de Perico. Fue una transición natural, por mucho que algunos picajosos quisieran ver un conflicto donde jamás lo hubo. El navarro emitía destellos de diamante: con 20 años se convirtió en el líder más joven de la historia de la Vuelta a España. Con 21 años conquistó el Tour del Porvenir. Poco a poco fue sumando a su palmarés triunfos sueltos y pequeñas vueltas por etapas. Empezó a asomarse a las grandes carreras internacionales con sus triunfos en la París-Niza, la Volta a Catalunya o la Clásica de San Sebastián. Pero se equivocan quienes piensen que la trayectoria de Induráin apuntaba claramente al Tour. «Dentro de unos años quizá pelee por ganar una Vuelta a España», decía con 23 años. «Pero el Tour siempre será demasiado grande para mí. Yo no puedo pasar las montañas de Francia con los primeros». Corrió seis Tours antes de ganar el primero: 20.000 kilómetros de aprendizaje por las carreteras francesas, docenas de etapas frenéticas con el pelotón lanzado por calles y rotondas, escapadas compartidas con rodadores veteranos, emboscadas y despistes de novato, caídas, sustos, sofocones, cientos de horas de sufrimiento en los puertos alpinos y pirenaicos, sesiones de dolor puro en las contrarrelojes. ¿Es fácil ganar un Tour?

En 1989, mientras Delgado corría en busca del tiempo perdido en Luxemburgo, Induráin fue su peón de ataque en unas cuantas ocasiones. Y en una de ellas, el segoviano le ordenó que atacara muy lejos de meta, con los tremendos Maric Blanque, Aubisque y Cauterets por el camino. Induráin siempre había pensado que las montañas francesas serían demasiado grandes para él. Sin embargo, ese día, mientras le despejaba el camino del ataque a Delgado, nadie fue capaz de alcanzarlo. Induráin pedaleó concentrado, descubriendo un camino nuevo: el Tour le estaba abriendo la puerta. Y ganó la etapa, su primera etapa, la que sus críticos olvidaban cuando años más tarde le acusaban de no vencer nunca en jornadas de montaña.

Tampoco se acordaban de su segundo triunfo, en 1990, en la cima de Luz Ardiden, tras un mano a mano con todos los favoritos del Tour. Aquel año Delgado se disputaba el triunfo final con Lemond, Breukink y Chiappucci, pero una gastroenteritis menguó sus fuerzas y acabó cuarto en París. «Todo el equipo conocía mi enfermedad», contaba Delgado, «pero lo mantuvimos bien callado, para que no se enteraran los rivales. En la última semana me sentía cada vez más débil. Poco antes de la subida a Luz Ardiden me acerqué a Miguel y le dije que no me esperara». Miguel no le esperó: se fue con Lemond y Marino Lejarreta, los dejó clavados y ganó con autoridad. Entonces, a toro pasado, muchos criticaron la decisión del equipo Banesto de mantener a Induráin como subordinado de Perico, cuando el segoviano había dado muestras de flaqueza en muchas etapas. En una de esas ocasiones, a pocos kilómetros de una llegada en alto, Induráin salió tras un ataque de Lejarreta con la esperanza de arrastrar con él a Delgado y dejar atrás a los rivales. Cuando Miguel vio que el segoviano no venía, levantó el pie y le esperó. Lejarreta ganó la etapa. Por detrás, en el grupo de los favoritos, Induráin ganó el esprint con facilidad y se clasificó segundo. Delgado reconoció sin tapujos la labor del navarro: «Yo no he podido seguirles, Miguel me ha esperado y por eso él se ha quedado sin triunfo de etapa. Miguel es mi brazo derecho, el izquierdo y hasta las piernas. Junto a él tengo seguridad plena». Induráin terminó el Tour de 1990 en décima posición. Su tiempo estaba a punto de llegar.

Cuenta una leyenda apócrifa que una anciana de Villava llevó su despertador estropeado a casa de los Induráin: «Ya sabía que tu hijo era un ciclista muy bueno», le dijo la anciana a la madre de los Induráin, «pero he oído en la tele que además es el mejor *relojista* del mundo».

Induráin, sin duda, era el mejor contrarrelojista del mundo. Y fueron las agujas de un reloj las que el 14 de julio de 1991 marcaron el primer aviso de que el navarro podía ganar el Tour. Ocurrió entre Argentan y Alençon, en una crono plana y larguísima, de 73 kilómetros. El astuto Lemond, ganador del año anterior, había robado casi dos minutos en una escapada tonta en la primera etapa, y contaba con esa contrarreloj para ampliar la ventaja. Metió tiempo a todos sus rivales salvo a uno: Induráin fue ocho segundos más rápido que él y ganó la etapa, su primera victoria en una crono del Tour.

El navarro esperó cinco días más. Algunos periodistas españoles, inquietos, desconfiados, arremetían contra el equipo Banesto, sobre todo desde los micrófonos de la radio. Decían que Delgado había cedido demasiados minutos a Lemond y que no podía desperdiciar ni un repecho para atacar a fondo al americano. Acusaron al director Echávarri de no aprovechar la primera etapa de los Pirineos, con final en Jaca: los ciclistas del Banesto no solo permitieron que la carrera marchara cómoda para Lemond, sino que además habían consentido una fuga en la que hombres peligrosos como Mottet o el joven Leblanc, nuevo líder, habían sacado cuatro minutos de ventaja. A Delgado, ya tambaleante el año anterior, se le vio sufrir en las cuestas no muy empinadas de Somport. Pero en Jaca ocurrió una pequeña anécdota a la que casi nadie prestó atención: cuatro minutos después de los escapados, el grupo de los favoritos llegaba lanzado al esprint de meta cuando un ciclista saltó como un bólido en el último kilómetro y alcanzó la meta unos segundos antes. El gesto apenas tenía relevancia en la clasificación. Pero aquel tirón a 55 kilómetros por hora, después de una jornada montañosa a cuarenta grados, solo estaba al alcance del ciclista más fuerte de la carrera: Miguel Induráin.

Al día siguiente, el sol cayó a plomo sobre un laberinto pirenaico de 232 kilómetros con cinco puertos de alta montaña: Portalet, Aubisque, Tourmalet, Aspin y Val Lou-ron. Un suplicio. Las subidas y el calor no solo castigan las piernas, también trastocan la serenidad de quienes se sienten débiles. Y Lemond, que durante toda la jornada se había comportado con cierta ansia, bajando continua-mente al coche del director para pedir referencias y con-sejos, pegó un tirón brutal en los primeros kilómetros del Tourmalet. El norteamericano se marchó, bailando sobre la bici, volando cuesta arriba como si quisiera demostrar que seguía siendo el dueño del Tour. Por detrás, Induráin, impasible y sereno, marcó un ritmo fuerte en el grupo de los favoritos y lo mantuvo kilómetro tras kilómetro. Sin aspavientos, pero con contundencia. Y Lemond se deshin-chó. A pocos kilómetros de la cima, fue cazado por el gru-po y se quedó en las últimas posiciones, como si quisiera recuperar fuerzas. Pero en los muros del Tourmalet es im-posible ahorrar un gramo de energía: en la última curva de herradura, a solo trescientos metros de la cumbre y sin que nadie atacara, Lemond se descolgó. Primero cedió cinco metros y se desabrochó la cremallera del maillot hasta la cintura, desesperado por el calor y la asfixia a dos mil metros. La camiseta, suelta, le ondeaba por los costados como dos alas atrofiadas. Luego comenzó a balancear la cabeza de lado a lado, a retorcerse y empujar la bici con los riñones. Chiappucci, atento a la agonía del americano, pasó a la cabeza del grupo y aceleró, incluso esprintó para coronar en primera posición. El Tourmalet ya se acababa y parecía que gracias a eso Lemond podría salvar la cabe-za. Pero los corredores saben bien que un ciclista fundido es un ciclista sin reflejos para el descenso. Y en cuanto pasaron bajo la pancarta del Tourmalet, Induráin puso plato grande, se levantó sobre el sillín y se lanzó esprintando cuesta abajo, a ochenta, a noventa, a casi cien por hora, volando en las rectas y trazando las curvas al milímetro. En ese momento sublime cuajó toda la experiencia acumulada en los seis Tours anteriores: Miguel sabía escalar con paciencia un puerto fuera de categoría, sabía esperar y observar, sabía reconocer el momento exacto en que algo se rompía dentro de un rival, sabía cómo llevar a ese rival hasta el límite del sufrimiento para después remacharlo. Incluso conocía de memoria las curvas del Tourmalet: en esa bajada de casi veinte kilómetros, solo le hacía falta tocar el freno media docena de veces. En el primer kilómetro del descenso, Induráin ya se había quedado solo. Y, sin ninguna duda, volaba a por el Tour.

Al final del descenso, Echávarri ordenó a Miguel que esperara a Chiappucci. El italiano también venía solo y podía ser una buena ayuda para el resto de la etapa, con las subidas al Aspin y a Val Louron por el camino. Induráin y Chiappucci se entendieron de maravilla y se repartieron el botín: para Claudio, la victoria de etapa; para Miguel, el maillot amarillo. Por detrás de ellos, el caos. Los ciclistas marchaban diseminados por el valle, aturdidos por el descenso salvaje del Tourmalet al que les había obligado Induráin. Solo Bugno intentó organizar un grupo de caza, pero sus intentos de mantener un ritmo continuado resultaron vanos. Lemond, Leblanc, Mottet, Fignon y Hampsten estaban machacados. En el avituallamiento previo al Aspin todos ellos pedalearon despacio, comieron, bebieron, se miraron unos a otros, idos, agotados, intentando comprender qué había ocurrido. Bugno, desesperado, se marchó a por Induráin y Chiappucci, pero ya era tarde. Los dos fugados pedaleaban a tope, entregados, conscientes de que estaban escribiendo unas líneas en la historia del Tour. A doscientos metros de meta, Induráin hizo un gesto con el brazo izquierdo para indicar a Chiappucci que pasase. Claudio ganó la etapa reina. Miguel lanzó un puñetazo de alegría al aire: era líder del Tour. Bugno, corajudo, entró a minuto y medio. Fignon, a tres minutos. Mottet, a cuatro. Lemond, a siete. Leblanc, a ocho. Delgado y Lejarreta, a catorce.

Aquel día, 19 de julio de 1991, comenzó el reinado de Miguel. Y fue un dominio transparente, porque durante todo un lustro se repitió la misma fórmula: Induráin dejaba tocados a sus rivales en las contrarrelojes y luego los trituraba en la montaña.

Durante un lustro, Miguel dominó el reloj sin fisuras. En la contrarreloj de 1992 de Luxemburgo, en un recorrido traicionero punteado con repechos rompepiernas, Miguel alcanzó la cumbre de su carrera: voló a 49 kilómetros por hora y sacó 3'41" a Bugno, segundo clasificado. Lemond, Roche y Zülle cedieron más de cuatro minutos. Chiappucci, cinco y medio. Induráin dobló a tres ciclistas, el último de ellos Fignon, que había salido seis minutos antes. «Me ha pasado un misil», dijo el francés a los periodistas. Bugno, que hasta ese día peleaba con Miguel por ser el dueño del pelotón y ganar uno o varios Tours, comprendió que le había tocado compartir época con un campeonísimo y que él nunca vestiría de amarillo: «En el pelotón somos 180 ciclistas y un extraterrestre», dijo el italiano, con media sonrisa de resignación. El luxemburgués Charly Gaul, campeón del Tour de 1958, que casi desde entonces vivía retirado de la vida pública en una zona boscosa, se asomó a una cuneta para ver la contrarreloj: «He visto pasar un ángel», confesó, asombrado por la figura de aquel gigante concentrado, doliente, que apretaba los dientes, movía las piernas como pistones y volaba. En la crono final de Blois, más plana, con el Tour ya resuelto, Induráin batió su récord de velocidad media: 52,349 kilómetros por hora.

En 1993, un pinchazo del navarro en la crono del lago de Madine permitió a sus rivales perder menos de tres minutos: Bugno, a 2'11", Rominger, a 2'43". Y una curiosidad: el último de la etapa fue Prudencio Induráin, a dieciocho minutos. El hermano pequeño estuvo a doce segundos de quedar fuera de control: si Miguel no hubiera pinchado, habría expulsado del Tour a su hermano.

En 1994, Induráin arrasó de nuevo en la contrarreloj de Bergerac. Solo un Rominger sensacional mantuvo el tipo, pero aun así cedió dos minutos. El tercero, De las Cuevas, terminó a 4'22".

En 1995, la crono de Huy le sirvió para distanciar a sus rivales, pero uno de ellos, el danés Riis, solo cedió once segundos. Sin embargo, ese año Induráin había adelantado su exhibición a la víspera, cuando dio un mazazo sorpresa a todos sus rivales camino de Lieja. En una etapa calcada a la clásica Lieja-Bastoña-Lieja, salpicada con un montón de tachuelas, Miguel observó que sus principales enemigos, Rominger, Jalabert, Zülle, Riis, Virenque, Pantani, andaban un poco cargados de piernas y escalaban los repechos lejos de la cabeza, refugiados en el centro del pelotón. Solo el ruso Berzin se mantenía pegado a la rueda del navarro. Pero a Berzin tampoco le sirvió de nada estar atento. En la cota de Mont Theux, apenas un repecho a veinticinco kilómetros de meta, Induráin ordenó a su compañero Ramontxu González Arrieta que acelerara a tope. Ramontxu esprintó doscientos metros con el jefe a rueda, y después vio cómo Miguel bajaba piñones y salía lanzado, sorteando motos, adelantando como un ciclón a los corredores que marchaban escapados. Justo en la cumbre alcanzó al belga Bruyneel, quien aprovechó la bajada para soldarse a su rueda trasera. «No puedo darte relevos», le dijo al navarro, «tengo a mis jefes detrás». Lógico. Miguel ni le miró: metió la cabeza en el manillar y cumplió una de las contrarrelojes más formidables de su vida. Por detrás, el pelotón se organizó, Rominger, Jalabert, Zülle, Riis y sus gregarios se relevaban a por el navarro. La jauría. Pero Miguel marchaba como un tiro, moviendo el desarrollo más grande como si fuera un molinillo de café, avanzando nueve metros en cada pedalada, escalando la Côte des Forges sin levantar la barbilla del manillar, él solo contra todos sus rivales juntos. Bruyneel, que no le dio ni un relevo, las pasó canutas para no perder rueda: «Ha sido como ir detrás de una moto durante veinticinco kilómetros», contó en meta. En Lieja, el belga esprintó y se llevó la etapa. El pelotón llegó a cincuenta segundos. Después de semejante esfuerzo salvaje, Induráin no consiguió ni un minuto de ventaja. Pero el verdadero logro era otro: ya nadie se atrevería a atacarle.

Ahí estaba la clave. Aunque no fuera una crono, Lieja supuso la demostración explícita de lo que hacía Miguel en las contrarrelojes: amedrentar a los rivales. Porque, como dice el escritor Javier García Sánchez, la percepción de que Induráin ganó los cinco Tours por las ventajas obtenidas en las cronos es errónea. Con los números en la mano, el lugar donde el navarro pulverizó realmente a sus rivales fue en la alta montaña. El problema de Bugno, dice García Sánchez, no eran los dos minutos que le sacó Miguel en la crono del lago de Madine, sino los ocho que le cayeron en la primera etapa alpina, subiendo el Galibier. Casi todos los principales enemigos de Induráin fueron grandes contrarrelojistas: Lemond, Bugno, Rominger, Riis. En las cronos les sacaba dos, tres o cuatro minutos, diferencias jugosas, pero que podían disolverse en muy pocos kilómetros con un desfallecimiento en la alta montaña. El propio Miguel lo comprobó en Les Arcs, en 1996, cuando en los últimos cuatro kilómetros perdió cuatro minutos y las opciones de ganar un sexto Tour. Un momento malo en los Alpes o los Pirineos supone perder una minutada inmensa.

Pero Miguel nunca fallaba. Todos los años, sin excepción, en la primera jornada montañosa destrozaba a los aspirantes. En 1991, después de limarle un puñado de segundos a Lemond en la crono, le sacó siete minutos en Val Louron. En 1992, en las etapas consecutivas de Sestrieres y Alpe d'Huez dejó a más de diez minutos a todos sus rivales, salvo a *El Diablo* Chiappucci, quien además le robó tiempo tras una escapada heroica de doscientos kilómetros por los Alpes. En 1993, en la etapa del Galibier, Rominger y el colombiano Mejía aguantaron con Miguel, pero la lista de víctimas de aquella jornada es un reguero de miserias: Breukink y Hampsten, a tres minutos. Virenque, a cuatro y medio. Zülle, a siete. Riis, a siete y medio; Bugno y Fignon, a ocho; Chiappucci y Roche, a nueve. En 1994, Rominger solo perdió dos minutos en la crono pero cedió otros dos en Hautacam, primer puerto serio de aquella edición. En 1995, después de la exhibición de Lieja, Miguel solo fue capaz de sacarle once segundos a Riis en la crono de Huy, y otro minuto raspado en la contrarreloj final: apenas minuto y medio en casi cien kilómetros de crono. Pero en La Plagne, en una decena de kilómetros, Induráin le metió cinco minutos y medio. La montaña abre grietas entre unos ciclistas y otros.

«Siempre se evocan las contrarrelojes cuando se habla de ti», le escribió Chiappucci en una carta, cuando Induráin se retiró en 1997. «Pero me quedo con tu golpe de pedal y tu postura sobre la bicicleta en las ascensiones. Te he visto escalar mejor que los escaladores. Además, tenías esa facultad extraordinaria de no dar ninguna pista sobre tu estado físico. ¡Era imposible saber si ibas bien o mal!».

Entonces, ¿por qué existe la idea tan firme de que Induráin conquistaba los Tours en las contrarrelojes? Porque Miguel las aprovechaba para demostrar su infalibilidad: entre 1991 y 1995 ganó todas las contrarrelojes largas, con exhibiciones impresionantes, y así planchaba cualquier ilusión que pudieran albergar sus rivales. Las ventajas que obtenía no eran insalvables, pero después de Luxemburgo, Madine o Bergerac, los enemigos de Induráin quedaban reducidos a un rebaño de ciclistas temerosos, aturdidos, dóciles. Los corredores y los periodistas recurrían a la ciencia ficción para hablar de Miguel el extraterrestre, el *robocop*, el *terminator*; recurrían a la monarquía absoluta para llamarle su majestad, dueño y señor, rey Sol; incluso se deslizaron por terrenos místicos cuando hablaban del maestro, de la ley del señor, o para referirse simplemente a Él. Basta con repasar la hemeroteca: los periodistas le rendían pleitesía y los corredores asumían su inferioridad.

«Induráin gana porque nadie le ataca lo suficiente», dijo Fignon. ¿Por qué no le atacó él mismo en Val Louron, en Alpe d'Huez o en el Galibier, escenarios en los que asistió en primera línea de combate a las escabechinas de Miguel? Otros ciclistas cacarearon menos y atacaron más. Chiappucci se fugó con doscientos kilómetros y cinco puertos por delante y puso a Induráin contra las cuerdas. El italiano llegó a la meta de Sestrieres convertido en un guiñapo, después de hacerse todas sus necesidades encima, cubierto de mocos y babas, y en el hotel le inyectaron un gotero de suero para que se recuperara. Pero obligó a que Induráin pedaleara al borde de sus fuerzas y le hizo sufrir un desfallecimiento muy peligroso: el navarro se fundió, y si solo cedió dos minutos fue porque la pájara le sobrevino a apenas dos kilómetros de meta. Si las reservas de Induráin se hubieran agotado solo un poco antes, *El Dia-*

blo habría cambiado la historia del Tour. Por eso, Miguel siempre lo consideró como el rival más peligroso de su lustro mágico.

«Sin tu imponente presencia, sé que yo nunca habría alcanzado mi mejor nivel», le escribió el propio Chiappucci en aquella carta de 1997. «Yo he sido alguien por mis grandes escapadas, pero esas largas escapadas no las habría emprendido jamás si tú no me hubieras empujado. Para tener una pequeña posibilidad de desestabilizarte no había mil métodos: hacía falta atacar lejos de la llegada. Por eso lo hice y le cogí gusto a esa manera de correr. Y así ha sido como he ganado los corazones de los aficionados, gracias a ti, mi rival, el mejor de mis rivales».

También Rominger lo intentó a la desesperada en el Tourmalet, a cien kilómetros de meta, y abrió un hueco de un minuto, pero Induráin se lanzó en otra bajada prodigiosa, secó el ataque y secó las aspiraciones del suizo, que nunca más volvería a ser un peligro. Y la preciosa emboscada que le tendió el equipo Once en una etapa de montaña rusa por el Macizo Central, donde Jalabert, escoltado por sus gregarios Stephens y Mauri, consiguió nueve minutos de ventaja y el maillot amarillo virtual, hasta que Induráin salió como una locomotora para reducir los daños y perder solo cinco minutos.

Induráin tuvo algunos rivales valerosos que intentaron derrocarle. Y él desmontó todas las rebeliones con contundencia y mucho sufrimiento. Pero muchos críticos frustrados, especialmente franceses, arremetieron contra él por su supuesta falta de agresividad. Raphael Geminiani escribió que la actitud del navarro le exasperaba, porque no aprovechaba su superioridad para descuartizar a los enemigos en la montaña, y lanzaba una conclusión ponzoñosa contra Induráin, que estaba a punto de encadenar cinco Tours consecutivos por primera vez en la historia: «No se entra en la leyenda de puntillas». Geminiani arrastró toda su vida la frustración de no haber ganado un Tour: tenía el de 1958 en el bolsillo, cuando una tormenta alpina lo arrugó y le hizo perder doce minutos y el maillot amarillo en favor de Charly Gaul. Aun y todo, en los años noventa Geminiani encabezó la banda de antiguos corredores que se creían con poderes para extender certificados de leyenda ciclista, y que trataron de roer el mérito de Induráin como carcomas. Cyrille Guimard, corredor que le hizo cosquillas a Merckx en 1972, y que solo pudo ganar el Tour como director —brillante, eso sí— de Van Impe, Hinault y Fignon, también atacó a Induráin con arrogancia: «Induráin nunca va a ser un grande del ciclismo». Y el viejo periodista Pierre Chany, el que más Tours ha seguido en la historia, insistió con la misma matraca: «Induráin no entrará jamás en la historia como un campeón ciclista. Aunque llegase a ganar el sexto Tour, eso no cambiaría nada. Yo vi llorar a Merckx y a Coppi. Y no me imagino a Induráin llorando». El experto Chany, que en sus libros sobre el Tour gasta su reserva de adjetivos elogiosos con Miguel (mayestático, insuperable, apabullante, intocable), de pronto le exige que llore para ganarse el certificado de campeón ciclista.

La explicación de tanto desvarío se encuentra, por ejemplo, en el documental *Chacun son Tour*, de Patrick Le Gall y

Eric Sarner, sobre la historia de la ronda francesa. Después de repasar con detalle las hazañas de los mayores campeones, la película termina sin mencionar ni una sola vez el nombre de Induráin. El navarro aparece en los últimos diez segundos del documental, acoplado sobre la bici de contrarreloj y volando, con el casco aerodinámico, las gafas oscuras y el buzo de licra, como figura de fondo para un párrafo final insidioso: «Ahora los corredores representan a grandes intereses. Todo se calcula, todo se planifica. ¿Cómo vamos a soñar? ¿Qué pensarán los niños de hoy al ver pasar a un atleta de síntesis programado, que parece sacado de un videojuego? ¿Qué pensarán? Parece que se les oye gritar: "¡Devolvednos nuestros campeones!"».

Al margen de que un niño jamás gritaría algo semejante –algún guionista con rencores infantiles, sí–, la clave de este párrafo mezquino está en el posesivo: *nuestros* campeones. Los críticos de Induráin se refugiaban en el pasado y fantaseaban con que los campeones de otra época –los de *su* época– sí que eran hombres de raza y coraje, que habrían reventado a un contrarrelojista tan reservón como el navarro, y no como los corredores de hoy en día, que no tienen arrestos para atacar de lejos... Es el síndrome de Bahamontes, quien lleva cuatro décadas diciendo que si él corriera con los medios actuales, con las bicicletas actuales, con las carreteras actuales, con los médicos actuales, ganaría con una pierna a todos los campeones de hoy en día. La trampa de los afectados por este síndrome es que utilizan una memoria selectiva. Para responder a sus cantinelas agrias de abuelo cebolleta, basta con recordar que Geminiani no pudo con Gaul, ni Guimard con Merckx, ni Fignon atacó nunca a Induráin, por mucho que el parisino reclamara que alguien lo hiciera. Y basta con refrescar las escenas de Induráin jugándose la vida en el descenso del Tourmalet camino de su primer Tour, de su batalla agónica contra Chiappucci en Sestrieres acosado por el desfallecimiento y por una marea de aficionados italianos que le cerraban el paso, de su otra bajada suicida del Tourmalet para cazar a Rominger y salvar el maillot, del zarpazo que dio a todos los escaladores en la subida a Hautacam, de su fuga en solitario contra todo el pelotón camino de Lieja.

Eso es lo que nunca entendió Geminiani: Induráin, siempre discreto y sereno, pisaba los podios de puntillas, pero sus victorias eran estruendosas.

LANCE ARMSTRONG Y LA NIEVE NEGRA

Un pequeño dato revela la magnitud de las hazañas que firmó Lance Armstrong. Si repasamos las clasificaciones de los siete Tours que ganó, entre 1999 y 2005, veremos que solo tres ciclistas aparecen en todas ellas además del estadounidense: su escudero George Hincapie, Giuseppe Guerini y Francisco Mancebo. El mero hecho de terminar siete Tours consecutivos, sin sufrir accidentes, enfermedades o desfallecimientos, supone una proeza al alcance de casi nadie. Ganarlos todos es uno de los mayores éxitos de la historia del deporte. Y si el vencedor ha padecido antes un cáncer, el asunto roza ya lo milagroso.

Cuando le vistieron el séptimo maillot amarillo en el podio de París, con el que ya pensaba retirarse imbatido, Armstrong tomó el micrófono y habló a quienes le acusaban de recurrir al dopaje: «Lo siento mucho por aquellos que no creen en el ciclismo, por los cínicos y los escépticos, por quienes no creen en los milagros».

En 2012 su propio escudero Hincapie, otros diez antiguos compañeros de equipo y quince personas más testificaron contra Armstrong y desvelaron lo que la agencia estadounidense contra el dopaje calificó como «el programa de dopaje más sofisticado, profesionalizado y exitoso que ha visto el deporte», en el que se utilizaban EPO, testosterona, cortisona, hormonas de crecimiento y transfusiones de sangre, y que también maniobró para que el tejano se saltara controles, tapara positivos y donara miles de dólares a la propia Unión Ciclista Internacional que debía vigilarlo. Tras unos meses de batallas legales inútiles, acorralado por las investigaciones, Armstrong se dio por vencido. Le desposeyeron de sus triunfos en el Tour. Acudió al programa de televisión de Oprah Winfrey y confesó las trampas. «Ha sido una historia perfecta», dijo, «una gran mentira que funcionó durante demasiado tiempo».

Armstrong siempre tuvo una conciencia muy aguda de la narración. De su autobiografía en marcha. Se empeñó en controlar todos los detalles que forjaban su historia: la del superviviente milagroso que se levanta demacrado de la cama y se convierte en el ciclista más poderoso de todos los tiempos. Con 25 años le dijeron que tenía tumores en los testículos, el abdomen, los pulmones y el cerebro, y él sacó su orgullo: «El cáncer nunca se ha enfrentado a nadie como yo», dijo. Eso era cierto.

En su primera competición como ciclista profesional demostró que había pocos como él. Debutó en la Clásica de San Sebastián, en agosto de 1992, el día en que una tormenta cayó sobre el monte Jaizkibel y deshizo el pelotón.

Bajo el diluvio, los rayos y el vendaval, solo continuaron en carrera los pocos favoritos que peleaban por el triunfo. Los demás corredores se dieron media vuelta para refugiarse en los hoteles y ahorrarse los últimos kilómetros. También resistió alguien más: un ciclista novato que marchaba último, muy descolgado, empeñado en terminar la carrera casi de noche. Llegó al Boulevard donostiarra con media hora de retraso, empapado, tembloroso, cuando los demás ciclistas ya estaban en la ducha, los espectadores habían desaparecido y los operarios desmontaban la meta. Las crónicas del día siguiente mencionaban la anécdota de aquel chaval tozudo. Se llamaba Lance Armstrong, un debutante de 21 años, a quien se le metió en la cabeza que alguna vez debería volver a esta prueba y ganarla.

En 1993 se estrenó en el Tour con el maillot de campeón de Estados Unidos y ya ganó su primera etapa, al imponerse en el esprint de un grupo de escapados. Solo unas semanas más tarde, otra tormenta veraniega cayó sobre Oslo y Armstrong cruzó la meta en penumbra y chorreando, pero esta vez, además de toallas, le colgaron una medalla de oro y le vistieron un maillot arco iris: con 22 años había ganado el Campeonato del Mundo justo por delante de un Miguel Induráin en pleno apogeo. Aquel chaval americano era un fuera de serie.

Durante una de las primeras jornadas del Tour de 1995 ofreció otra exhibición de sus cualidades como cazador de etapas: se coló en la fuga buena y atacó en los repechos precisos para descolgar a los rivales, pero Outschakov resistió sus tirones y le batió al esprint. En meta, Armstrong rabiaba por haber perdido semejante oportunidad de ganar su segunda etapa en el Tour. Esas penas resultaron ridículas unos días más tarde: Fabio Casartelli, campeón olímpico en Barcelona 92 y compañero de equipo de Armstrong, cayó en un descenso pirenaico y se abrió la cabeza contra un mojón de piedra. Al día siguiente el pelotón decidió recorrer la etapa en cortejo fúnebre, y los compañeros del difunto, Armstrong entre ellos, cruzaron la meta unos metros por delante del grupo. Pero el tejano quería ofrecer un homenaje a Casartelli sin concesiones, y un par de etapas más tarde saltó del pelotón con dos ciclones de rabia por piernas. Llegó solo a meta, soltó el manillar, miró al cielo y señaló hacia arriba con los dos índices: «*It's for you*».

Un par de semanas más tarde regresó a San Sebastián para cumplir su promesa: atacó en la subida a Jaizkibel, se presentó solo en el Boulevard y ganó con un puñetazo de orgullo al aire. Si tres años antes nadie había acompañado a Armstrong hasta el hotel, esta vez una nube de aficionados le esperaba en el vestíbulo. Entre ellos, Julen, un donostiarra de catorce años a quien regaló la placa de su dorsal, el 121. Julen guardó esa placa sin saber que pronto iba a devolvérsela por correo a su dueño.

En 1996 Armstrong disputó las clásicas de primavera (ganó la Flecha Valona, fue segundo en la Lieja-Bastoña-Lieja) y dedicó el resto del año a preparar los Juegos Olímpicos de Atlanta. Pero no se sintió bien y quedó lejos de las medallas: sexto en la contrarreloj y duodécimo en la prueba en línea. Poco después se hizo unos análisis y descubrió que había corrido con doce pequeños tumores.

Tenía el cuerpo invadido por un carcinoma muy avanzado y los médicos le dieron entre un veinte y un cincuenta por ciento de posibilidades de sobrevivir.

Supo que podía morir con 25 años. Lo asumió con serenidad, dominó el pánico y la autocompasión, y decidió que lo único que podía hacer era pelear con todas sus fuerzas. Mientras se jugaba la vida a cara o cruz, le llegó al hospital una carta de un niño de San Sebastián con el dorsal 121. Aquel 121 era el recuerdo de una antigua promesa cumplida: la de volver para ganar. Una promesa que renovó durante las dos operaciones y los cuatro ciclos de quimioterapia.

Armstrong siempre mostró un empeño tenaz por tomar las riendas de la vida y enfrentarse directamente a los problemas: si tenía cáncer, solo podía intentar curarse. Así de sencillo. Sin lamentaciones ni rodeos. Ese carácter tan pragmático, tan independiente, tan decidido a abrirse paso por todas las dificultades, se había forjado durante la infancia y la adolescencia, con un padre al que nunca conoció y un padrastro que daba palizas a su madre y le azotaba a él con una pala de madera. No es casualidad que viera la bici como una herramienta que, por encima de otras cosas, le permitía decidir su propio camino: «Una bicicleta es un anhelado medio de transporte para quienes tenemos el corazón viajero», cuenta en su biografía. «Nuestra primera bici nos sirve para aprender a tomar curvas y atravesar charcos, supone librarnos de la supervisión paterna y los toques de queda. Es una liberación misericordiosa de la dependencia de los padres, la manera independiente de ir al cine o a casa de un amigo. Es la primera oportunidad que tenemos de elegir la dirección en la que queremos ir».

Él siempre tuvo claro a dónde quería ir. Sobrellevó con entereza los ciclos de quimioterapia, la caída del pelo, los vómitos, los dolores, la operación craneal, la extirpación de un testículo. Y dio sentido a ese padecimiento. Lo convirtió en parte de la preparación para convertirse en el mejor ciclista del mundo: «El dolor es positivo porque enseña a tu mente y a tu cuerpo cómo mejorar. Es como si tu inconsciente dijera: "Voy a recordar esto, voy a recordar lo que dolía, y aumentaré mi capacidad para resistirlo en otras ocasiones"». Aplicaba esas lecciones del dolor en las sesiones de quimioterapia, pero supo que le valdrían también para el ciclismo. En 1997 le anunciaron que viviría, salió del hospital y saludó a la vida encima de una bici. Siempre contaba a los enfermos de cáncer que él se apoyó en cuatro columnas para superarlo: conocimiento, respaldo, motivación y esperanza.

Pero sus triunfos ciclistas se apoyaban en otra columna secreta. En 1996, en el hospital de Indiana donde trataban a Armstrong, un médico entró en la habitación y le preguntó si alguna vez había consumido drogas. En ese momento estaban en la habitación Frankie Andreu, compañero de equipo, y su pareja Betsy Andreu. Armstrong habló delante de ellos. Contó que había tomado EPO, esteroides, cortisona, testosterona y hormonas de crecimiento. Los Andreu revelaron esta escena en 2005, durante un juicio iniciado precisamente por Armstrong para reclamar a una compañía de seguros un bono de cinco millones de dólares que habían pactado por sus victorias en el Tour, y que la compañía se negaba a pagar alegando sospechas fundadas de dopaje. Armstrong declaró bajo juramento que nunca se había dopado. Ganó el juicio y cobró el bono.

En los siguientes años, según avanzaban las investigaciones, los Andreu recibieron llamadas amenazantes del entorno de Armstrong. El propio ciclista llamó zorra, fea, celosa y loca a Betsy Andreu. Y puta y alcohólica a Emma O'Reilly, la masajista que habló al periodista David Walsh de algunas de las trampas del tejano para tapar positivos. También demandó a *The Sunday Times*, el periódico de Walsh, que tuvo que pagarle 300.000 dólares por acusarle de dopaje. Pero las cosas se le torcieron cuando su antiguo compañero de equipo Floyd Landis perdió la última batalla judicial por conservar el Tour de 2006, del que le habían desposeído por dar positivo. Entonces, en 2010, un Landis ya derrotado confesó sus trampas y tiró de la manta: acusó a Armstrong de doparse, de organizar el dopaje del resto del equipo y de presionar y sobornar a la Unión Ciclista Internacional para que tapara algunos positivos. A partir de ahí, la Usada, (la agencia estadounidense contra el dopaje) desarrolló su investigación y en 2012 reunió 26 testimonios contra Armstrong, además de pruebas de laboratorios, análisis de sus muestras de sangre, movimientos bancarios y correos electrónicos que demostraban el funcionamiento del programa de dopaje. Según esas pesquisas, se dopaba ya en 1996 (antes del cáncer) y lo siguió haciendo en 2009 y 2010 (los años de su asombroso regreso al pelotón), dos extremos que el tejano había negado en su confesión incompleta ante Oprah Winfrey.

Antes de la entrevista con Winfrey, Armstrong telefoneó a los Andreu para pedirles perdón y mantuvieron una charla de cuarenta minutos. Pero luego, cuando Winfrey le preguntó en antena si Betsy Andreu decía la verdad, Armstrong no quiso responder. Durante la entrevista dijo que debía disculpas a O'Reilly, a Walsh, que no culpaba a su compañero íntimo Hincapie por prestar testimonio contra él, pero no quiso hablar sobre los Andreu y la escena del hospital de 1996. Tenía al menos un par de motivos. Uno: proteger a otra testigo de aquella escena, una patrocinadora suya, que durante las investigaciones había declarado bajo juramento que la declaración de los Andreu era falsa, y que por tanto podía ser acusada por perjurio si Armstrong confesaba. Y dos: aceptar en público el testimonio de los Andreu suponía admitir que ya se dopaba antes del cáncer, algo que choca con la nueva narración que Armstrong intentaba salvar.

Cuando vio que Armstrong callaba, Betsy Andreu declaró furiosa en televisión que el tejano solo confesaba aquellos hechos que ya eran incontestables pero que seguía ocultando todo lo que podía, que no era una persona de fiar, que podía mostrarse encantador o amenazante según le conviniera. Le llamó camaleón.

En 2007 Armstrong dio estas explicaciones en un coloquio: «Sobreviví a una enfermedad mortal. Me vi en mi lecho de muerte. ¿Creen que después de curarme del cáncer y volver al deporte sería capaz de arriesgar mi salud, de pedirle a un doctor que me diera todo lo que tuviera, solo para pedalear más rápido?». En 2012, sin embargo, le explicó a Winfrey que fue precisamente la superación del cáncer la que transformó su carácter y le animó a doparse: «Antes de que me lo diagnosticaran, yo era un competidor pero no un competidor extremo. De un modo extraño, el proceso de la enfermedad me convirtió en una persona que quería ganar a toda costa. Dije que haría cualquier cosa por sobrevivir, y eso está bien, pero esa actitud brava, insaciable, de ganar a cualquier precio la trasladé luego al ciclismo, y eso está mal».

Los Andreu insisten en que en el hospital, en 1996, ya admitió que se dopaba. Él prefiere no responder.

Armstrong cuenta en sus memorias que llevaba años fascinado por una gran poza natural, un estanque de agua verdosa encerrado entre unos paredones de caliza de quince metros de altura, en las colinas de Texas. Se llama, qué cosas, Dead Man's Hole. El Agujero del Muerto. Cuando ganó el primer Tour decidió comprar los terrenos circundantes y, cada vez que quería convencerse del hecho milagroso de que seguía vivo, conducía hasta la poza, se arrimaba al precipicio y saltaba los quince metros. Decía que en esos segundos de caída libre le entusiasma sentir los latidos frenéticos del corazón, el cosquilleo del vértigo, la dosis de terror. Luego el chapuzón violento, los jadeos, las brazadas hasta la orilla y la feliz vuelta a casa. «Un poco de miedo sienta muy bien», decía, «siempre que sepas nadar, claro».

Nada más salir del hospital, incluso cuando todavía debía volver con frecuencia para someterse a pruebas, comenzó a entrenarse. El regreso a la carretera resultó un suplicio: los amigos de Texas con los que salía a pedalear debían esperarle en cada repecho. Armstrong no tenía fuerzas para mover desarrollos largos, de modo que se acostumbró a escalar montañas con piñones altos, con ese estilo tan acelerado que le caracterizó en los años siguientes. Consiguió volver a la competición, pero en la París-Niza de 1998 se bajó de la bici porque se descolgaba en cada cuesta, y anunció que se retiraba para siempre.

Sin embargo, siguió compitiendo, resistió cada vez mejor el ritmo del pelotón, incluso fue capaz de lanzar sus primeros ataques. Y a finales de 1998 merodeó los grandes podios: fue cuarto en la Vuelta a España, cuarto en el Mundial contrarreloj, cuarto en el Mundial en ruta. Su director deportivo Johan Bruyneel le auguró que al año siguiente haría algo grande en el Tour. Armstrong le contestó que sí, que soñaba con ser el primer enfermo de cáncer que ganaba una etapa. «Yo hablo de ganar el Tour», le respondió su director.

Bruyneel renunció a su trabajo como director en 2012, tras las acusaciones de la Usada que le atribuían un papel clave en el sistema de dopaje de Armstrong y su equipo.

En 1998 el Tour agonizaba. En vísperas de la salida, la gendarmería detuvo a un masajista del equipo francés Festina que circulaba por carreteras secundarias con un coche cargado de anabolizantes, hormonas y dosis de EPO, el fármaco de moda entonces, que aumenta el número de glóbulos rojos para oxigenar mejor los músculos y que puede espesar la sangre hasta niveles muy peligrosos. Se abrió una investigación policial, pero el Tour, que aquel año partió de Irlanda, cumplía sus primeras etapas con aparente normalidad. Hasta que unos días más tarde, ya en Francia y en plena carrera, varios gendarmes en moto rodearon el coche del director del Festina, le obligaron a parar y se lo llevaron detenido. Los organizadores del Tour expulsaron a todos los ciclistas del equipo francés —entre ellos, Virenque y Zülle— porque sospechaban de su implicación en una red de tráfico y consumo de fármacos prohibidos, que sería confirmada. Tras el masajista y el director, la policía detuvo también a los ciclistas y los encerró en un calabozo, donde pasaron la noche. Al día siguiente los corredores denunciaron un trato humillante: les habían interrogado, les habían obligado a desnudarse e incluso les habían hurgado por el cuerpo para comprobar si ocultaban fármacos. Según las leyes francesas, los casos de dopaje no eran un mero asunto deportivo, sino que constituían delitos contra la salud pública.

En la etapa que salía de Tarascon, los ciclistas se negaron a correr. El director de la carrera, Jean Marie Leblanc, resolvió la papeleta prometiendo que hablaría con los jefes policiales para que moderaran sus actuaciones. Pero, a los pocos días, los gendarmes entraron de madrugada al hotel donde se hospedaban los ciclistas del TVM holandés y se los llevaron a comisaría, para realizarles análisis de orina y sangre y tomarles muestras de cabello. En la siguiente etapa el pelotón volvió a plantarse: los ciclistas se sentaron en mitad de la carretera y se quitaron los dorsales. Por primera vez en la historia, parecía que el pelotón no iba a llegar a París.

Después de negociaciones apresuradas entre la dirección de carrera, los patrones de los equipos y un grupo de ciclistas que preferían seguir −capitaneados por Bjarne Riis, señalado desde entonces como traidor−, el pelotón arrancó de nuevo. No todos aceptaron esa solución. Los cuatro equipos españoles se retiraron. Y los ciclistas del TVM, aprovechando que el recorrido pasaba por Suiza, se bajaron de la bici en cuanto cruzaron la aduana, fuera del alcance de los gendarmes franceses. El Tour llegó a París, a trancas y barrancas, con las orejas gachas y la dignidad embarrada.

Aquel Tour, por cierto, lo ganó Marco Pantani, el escalador de dibujos animados, un hombrecito de cráneo rasurado y unas orejas de elefante que parecían desplegarse cuando volaba cuesta arriba. Para ganarlo, atacó en el Galibier bajo una tormenta alpina y hundió al líder alemán y gran favorito Jan Ullrich. Los dos ciclistas terminaron su carrera profundamente implicados en casos de dopaje.

Ullrich estuvo a punto de ganar el Tour de 1996, con apenas 23 años y sin proponérselo. Mano a mano con su jefe Bjarne Riis −que corría dopado, según reconoció años después−, ayudó a destronar a Induráin. Ullrich desplegó una fuerza tan descomunal que pasó en cabeza las montañas, ganó la última crono y le faltó un pelo para vestirse de amarillo en París por delante de su propio jefe. Al año siguiente venció sin discusión por delante de Virenque y Pantani, y parecía el próximo aspirante a batir la marca de cinco victorias en el Tour. Sin embargo, en 1998 se hundió intentando responder a Pantani, en 1999 una lesión le impidió correr en el primer Tour que ganó Armstrong y a partir de ahí solo pudo ser una sombra amenazante para el tejano. Se especializó en coleccionar podios: en ocho participaciones, ganó un Tour, quedó segundo en cinco ocasiones, tercero en otra y cuarto en una más. Cuando por fin se retiró Armstrong y aspiraba a ganar la edición de 2006, en vísperas de la prueba estalló en España la Operación Puerto y los organizadores le impidieron participar por las sospechas de que estuviera implicado en aquella trama de dopaje. Nunca volvió a competir. Más tarde se confirmó que una de las bolsas de sangre incautadas al doctor Eufemiano Fuentes, responsable de la red, pertenecía a Ullrich. Y en 2012, cuando ya llevaba un lustro retirado, recibió una sanción de dos años.

El ciclista que guillotinó su carrera, Marco Pantani, fue expulsado del Giro de 1999 cuando estaba a punto de ganarlo, porque los controles habían demostrado que su sangre era demasiado espesa, demasiado repleta de glóbulos rojos. Las nuevas normas aceptadas por los ciclistas interpretaban ese dato como una sospecha de que el corredor se había inyectado la entonces indetectable EPO, y como una razón suficiente para expulsarlo de la carrera. De pronto, las escaladas cósmicas de Pantani quedaron explicadas con esa cifra: un 52% de hematocrito, un porcentaje increíble de glóbulos rojos para alguien que lleva tres semanas disputando una gran vuelta.

Pantani desapareció una temporada del escenario para purgar sus culpas, pero volvió con la promesa de que correría limpio. Quería demostrar que podía deslizarse sobre las montañas sin la ayuda de pócimas mágicas, y aún pegó un par de fogonazos. Sin embargo, su luz se extinguía sin remedio. En el Tour del 2000 venció en la cima del Mont Ventoux, sí, pero gracias al consentimiento de Armstrong. Y en sus últimas temporadas se disolvió poco a poco en el anonimato de los pelotones rezagados. Firmaba contratos a la baja. La fama se fue disipando. Los amigos de ocasión le abandonaron. Ya no pintaba nada en el ciclismo, pero se resistió a dejar la bici porque no sabía hacer otra cosa. Un día acudió a una clínica de cirugía estética y se redujo las orejas, su símbolo más característico, el rasgo por el que le conocían los aficionados. Marco Pantani ya no sabía quién era. O, precisamente, quería dejar de ser Marco Pantani. Y a principios de 2004 se liberó de ese peso: lo encontraron muerto en la cama fría de un hotel, rodeado de antidepresivos y ansiolíticos, devorado por un dolor silencioso y una dosis de cocaína pura.

El nefasto Tour de 1998 se cerró, pues, con Pantani en lo más alto del podio, con Ullrich a su vera y con muchas amenazas en el horizonte. ¿Se celebraría la siguiente edición? Los organizadores, empeñados en salvar la imagen de este deporte, establecieron unas rigurosas normas éticas, suavizaron un poco el recorrido para abanderar un ciclismo más humano y prometieron defender la buena fama de los corredores limpios. Vendieron la edición de 1999 como la de la regeneración del ciclismo. En la salida se presentó un pelotón con abundantes miedos y escasos favoritos. Los periodistas estaban más pendientes de los posibles escándalos y escribían que en este Tour la pregunta no era quién iba a ganar sino hasta qué punto importaría quién era ese ganador.

Armstrong cuenta en sus memorias que en el invierno entre 1998 y 1999 se entregó a un trabajo meticuloso. Después de la enfermedad se había quedado con diez kilos menos de los que pesaba en sus inicios como ciclista: lo aprovechó para transformar su cuerpo de triatleta musculoso en una figura más estilizada, mejor preparada para subir grandes puertos, y a la vez mantuvo su potencia de rodador para las contrarrelojes. Siguió trabajando con desarrollos ligeros hasta alcanzar un pedaleo muy revolucionado, ese molinillo tan característico. Y emprendió las rutinas que mantendría durante las siguientes temporadas: en invierno subía una y otra vez los puertos del Tour aunque a menudo encontrara las cimas bloqueadas por la nieve, recorría el trazado de las etapas y lo memorizaba palmo a palmo. Registraba todos los datos y las reacciones de su cuerpo, vivía pendiente del pulsómetro, el cuentakilómetos y la báscula. A lo largo de esos años formó su equipo con ciclistas que además de ser grandes escaladores (Hamilton, Livingston, Heras, Rubiera, Beltrán) o rodadores (Hincapie, Ekimov, Padrnos) corrían absolutamente comprometidos con la disciplina del grupo. Y llevó al extremo su manía por arañar segundos: le diseñaron las bicicletas más livianas con las técnicas de la industria aeroespacial, encargó a un técnico alemán que le fabricara a mano las ruedas más ligeras, pedaleó en un túnel de viento para buscar una posición más aerodinámica, incluso sugirió mejoras en el maillot para que las mangas ondearan menos. Cuando ganó el Tour de 1999 los medios hablaron de milagro. Armstrong lo explicó con dos palabras: preparación obsesiva. Desde París voló a Italia para regalar un maillot amarillo y uno de los leones de peluche del podio a la viuda y al huérfano de Casartelli.

Hasta aquí los hechos que construyen el relato épico de Armstrong. Pero ya en ese primer Tour victorioso sonaron chirridos que distorsionaban su versión y el tejano se empeñó en silenciarlos con contundencia. Se empeñó en callar al ciclista francés Christophe Bassons.

Bassons era uno de los tres corredores del equipo Festina que nunca había aceptado doparse, según las declaraciones de sus compañeros en el escándalo de 1998. En vísperas del Tour de 1999 declaró que la ventaja con la que corrían los tramposos le había arruinado ya tres años de su carrera deportiva. Más tarde dijo que en los entrenamientos invernales él subía más rápido que sus líderes Virenque y Zülle, pero que cuando llegaban las carreras ellos recurrían al turbo: a la EPO. Para el Tour de 1999, en el que participó con el equipo Française des Jeux, el periódico *Le Parisien* le ofreció escribir una columna diaria. Allí dijo que el dopaje seguía muy extendido y que la escalada meteórica de Armstrong en Sestrieres, donde ganó y se vistió su primer maillot amarillo, había causado asombro en el pelotón. Al día siguiente, camino de Alpe d'Huez, los ciclistas pactaron pedalear suave los primeros cien kilómetros. Nadie le dijo nada a Bassons, ya un apestado, hasta que se enteró por el aviso de un mecánico amigo. El francés, enfadado, decidió atacar desde la salida. Armstrong ordenó a su equipo que lo persiguieran, y a la caza se sumó… el propio equipo de Bassons. Su director Marc Madiot necesitaba demostrar al resto del pelotón que colaboraban en la caza del traidor. Cuando lo capturaron, el maillot amarillo Armstrong se adelantó y agarró del hombro a Bassons a la vista de todo el pelotón. Le dijo que sus acusaciones eran falsas, que perjudicaba a su propio deporte, que debía abandonar el Tour y retirarse del ciclismo profesional. Terminó el discurso con un sonoro «*fuck you*!».

Esa misma noche Armstrong comentó el episodio en la televisión francesa sin mucho apuro: «Las acusaciones de Bassons no son buenas para el ciclismo, ni para su equipo, ni para mí, ni para nadie. Si cree que el ciclismo funciona así, está equivocado y sería mejor que se retirara». Bassons pedaleó dos etapas más, aislado en el pelotón y en los hoteles, sin que nadie le dirigiera la palabra, recibiendo ataques en la prensa de ciclistas y directores de equipo, y con unas crisis de ansiedad que le llevaron a retirarse. Su director Madiot y varios compañeros le dijeron que el Tour solo se abandona por accidente o por enfermedad y ridiculizaron en declaraciones públicas sus «nervios». Los siguientes seis meses los pasó con una depresión. Continuó dos años más en el ciclismo profesional y al fin lo dejó para convertirse en profesor de educación física y luego encargado de pruebas antidopaje. En 2012, tras la confesión de Armstrong, Bassons dijo que no le guardaba rencor y que prefería su vida a la del tejano.

A partir de Bassons el relato de los Tours de Armstrong se desdobla: por un lado, las exhibiciones físicas con las que dominó a sus rivales en la carretera; por otro, las presiones con las que doblegó a quienes sembraban dudas sobre su historia.

Tras las dos victorias aplastantes de 1999 y 2000, Armstrong decidió jugar una partida de póquer con sus rivales en la primera etapa alpina de 2001. Sabía que sus compañeros de equipo andaban tocados y no podrían controlar grandes batallas, de modo que decidió pasar toda la jornada a cola de grupo, con mala cara. La televisión repetía una y otra vez sus gestos de dolor, sus resoplidos, sus aparentes dificultades para seguir el ritmo. Las motos entrevistaban a su director Bruyneel, quien parecía apesadumbrado y declaraba que intentarían resistir la etapa lo mejor posible, y el equipo de Jan Ullrich entró al trapo: pasaron a la cabeza y aceleraron la marcha, para ver si Armstrong reventaba definitivamente. En realidad le estaban haciendo la carrera: el grupo viajaba rápido y compacto, cada vez más reducido, sin ataques ni escapadas peligrosas. En cuanto llegaron al pie de Alpe d'Huez, Armstrong salió disparado, en meta sacó dos minutos a Ullrich y machacó las esperanzas de todos sus contrarios. Una jugada maestra.

Ese Tour y el de 2002 fueron bastante sencillos, pero le costó horrores ganar el de 2003, el del centenario, el quinto de su cuenta. Se deshidrató en una contrarreloj y estuvo a punto de perder el liderato, y en la montaña padeció los ataques en tromba de Iban Mayo y Joseba Beloki. Beloki llevaba tres años seguidos pisando el podio (tercero en 2000 y 2001, segundo en 2002) y le acusaban de conservador: apenas se le recordaba un tímido ataque contra Armstrong, en el Mont Ventoux. Pero en 2003 decidió pelear hasta que uno de los dos reventara. En Alpe d'Huez, Beloki atacó tres o cuatro veces y el estadounidense pasó uno de sus peores momentos en el Tour. Al día siguiente el vasco demarró en una pequeña cota y volvió a lanzarse en el último descenso del día, pero entró desbocado en una curva revirada, traicionera, con el asfalto derretido por el calor. Frenó a destiempo, el tubular trasero patinó sobre la brea fundida y se salió. El metal de la llanta chirrió contra el asfalto, la bici se encabritó y Beloki salió por los aires. Armstrong lo esquivó por medio metro, se salió de la carretera y atravesó un campo de cereal dando tumbos, hasta encontrar de nuevo el camino. Beloki se rompió el fémur, el codo, la muñeca y las esperanzas de ganar un Tour. Unos días después, Armstrong flaqueó en la subida a Bonascre, y tanto Ullrich como Vinokurov se arrimaron a un puñado de segundos de su maillot. Nunca se le había visto sufrir tanto y nunca había tenido tantos rivales peligrosos tan cerca. Para complicar más el asunto, en la subida a Luz Ardiden se enganchó con un espectador y cayó. Por un minuto uno pensó que había perdido el Tour, pero entonces se le encendió su rabia más genuina, saltó al sillín, pedaleó como una bala hasta alcanzar a sus rivales –que habían tenido la nobleza de esperarle– y después atacó para ganar la etapa y sentenciar el quinto Tour.

Al terminar la prueba cumplió otro trabajo: tomó el libro de ruta, escribió en él un mensaje de ánimo y se lo envió al guipuzcoano Markel Irizar, un ciclista *amateur* de 22 años que luchaba contra un cáncer de testículo y que le había escrito una carta años antes, cuando él estaba enfermo.

Irizar se curó, pasó a profesionales en 2004 con el equipo Euskaltel-Euskadi, y en 2010 fichó por el Radio Shack, el equipo que Armstrong montó en la segunda temporada de su insólito regreso a la competición. El tejano había creado años atrás la fundación Livestrong, con la que recaudó unos quinientos millones de dólares para luchar contra el cáncer, y quiso mostrar sus proezas deportivas como un mensaje de esperanza para los enfermos: se puede derrotar al Tour, se puede derrotar al cáncer.

Al mismo tiempo, si alguien ponía en duda el esplendor de su historia, Armstrong lo perseguía con saña. En la antepenúltima etapa del Tour de 2004, con su sexto triunfo consecutivo ya en el bolsillo, dio otro puñetazo de *sheriff* tejano: saltó del pelotón para perseguir una fuga de seis corredores, irrelevantes para él, pero entre los que se encontraba Filippo Simeoni. A Simeoni se la tenía jurada. El italiano confesó en 2001 que había tomado EPO y hormonas de crecimiento por indicación de Michele Ferrari, el doctor italiano envuelto una y otra vez en escándalos de dopaje, que saltó a la fama en 1994 porque sus ciclistas volaban y porque declaró que la EPO no era más peligrosa que beber diez litros de zumo de naranja. Y Ferrari era una grieta en la credibilidad de Armstrong: el periodista Walsh reveló que el médico trabajaba con el tejano desde 1995, ya desde sus primeros años como ciclista. Cuando Simeoni delató las prácticas dopantes de Ferrari, Armstrong saltó a la escena y le llamó mentiroso. Simeoni denunció a Armstrong por difamación. Armstrong acabaría ganando el juicio pero marcó para siempre a Simeoni.

Por eso, cuando Simeoni participó en aquella escapada irrelevante, Armstrong salió a por él. Detrás, en un pelotón asombrado por semejante maniobra, el equipo de Ullrich empezó la persecución. Los fugados pidieron a Armstrong que se descolgara, porque de lo contrario no tendrían ninguna oportunidad de escaparse y luchar por el triunfo de etapa. Armstrong dijo que lo haría si Simeoni también se paraba con él. El italiano tuvo que ceder. Armstrong se dio el gusto de atraparlo con el lazo y devolverlo al establo. «Cuando nos alcanzó el pelotón», contó Simeoni, «me insultaron Pozzato, Peron, Guerini y sobre todo Nardello, quien me dijo que yo era una vergüenza para el pelotón». Armstrong se explicó en la meta: «Simeoni solo quiere destruir el ciclismo, el deporte que le paga. No es un ciclista al que queramos ver delante. Yo solo he protegido los intereses del pelotón».

Christian Vande Velde declaró a la Usada que Armstrong le amenazó con expulsarle del equipo si no rendía más y si no participaba en el sistema de dopaje. En la entrevista con Winfrey, Armstrong negó que le coaccionara para doparse. Pero admitió que siempre exigía el máximo rendimiento y que, si él recurría al dopaje, sus compañeros podían sentirse presionados a hacer lo mismo. «Usted los intimidaba», le dijo Winfrey. «Sí, lo hacía. Los intimidaba porque trataba de controlarlo todo. Y si alguien decía algo que no me gustaba, que parecía desleal o me contrariaba, yo le atacaba». «¿Esa es su naturaleza? ¿Ha sido así toda su vida?». «Sí, toda».

Armstrong remató la historia perfecta. Se despidió vestido de amarillo por séptima vez consecutiva en París, con el Arco del Triunfo al fondo, y con una marca todavía más notoria que los siete triunfos: era el primer ciclista que, por fin, tras 102 años, había derrotado al Tour. La carrera francesa siempre acababa cobrando su tributo, devorando incluso a sus mayores campeones. Cuando intentaron conquistar un sexto Tour, esa especie de fruto prohibido, los mejores ciclistas de la historia sufrieron unos desfallecimientos terribles, como si recibieran el castigo de un dios furioso por semejante blasfemia. Basta con recordar a Anquetil echando pie a tierra en 1966 camino de Saint-Étienne, pálido, agotado, lloroso; a Merckx en 1975, dando eses como una marioneta rota en Pra Loup; a Hinault, clavado en Superbagnéres en 1986; a Induráin, fundido y deshidratado en Les Arcs en 1996. Armstrong dio la vuelta a la historia: el ciclista casi destruido por el cáncer se levantó de la cama, se montó en la bici y arrancó con un pedaleo contundente que mantuvo hasta el último día de su séptimo triunfo, hasta vestir su 83º maillot amarillo y abandonar el ciclismo bañado en las mayores glorias.

Sin embargo, el Tour le siguió cantando al oído. Había resistido quimioterapias, operaciones, escaladas y contrarrelojes, pero no soportó el aburrimiento. Era un adicto a la lucha. Y después de tres años fuera del pelotón, decidió volver para ganar un octavo Tour.

Con su regreso en 2009 temblaron las jerarquías. Se enroló en el Astana, el equipo de su inseparable director Bruyneel, en el que militaba el nuevo jefe del ciclismo: Alberto Contador. Armstrong se presentó en son de paz, reconoció de boquilla el liderato del español, pero en la tercera etapa lanzó su primer mordisco: compinchado con su fiel Hincapie (que corría para el Columbia, pero qué más daba), aprovechó un estrechamiento en una rotonda –que estiró el pelotón–, un golpe de viento –que lo cortó–, y se sumó al ataque colectivo del Columbia –que cuajó en un grupo de treinta escapados–. Todos los demás favoritos, incluidos Contador, se quedaron en el segundo grupo y perdieron 41 segundos. Apenas un zarpazo, pero suficiente para completar una maniobra de precisión quirúrgica: al día siguiente, en la contrarreloj por equipos, Armstrong y Contador trabajarían juntos y, si todo iba bien y ganaban con margen, conseguirían el maillot amarillo para aquel de los dos que estuviera mejor clasificado. Y Armstrong acababa de adelantar a Contador en la clasificación de la manera más imprevista, aprovechando una simple rotonda y un golpe de viento. Si conquistaban el maillot, ya no sería para Contador sino para él.

Cuatro meses antes, Contador tuvo la París-Niza en el bolsillo y la perdió por un error táctico: respondió una y otra vez a una serie de ataques no muy peligrosos, y cuando arrancó Luis León Sánchez, su mayor rival, ya no le quedaban fuerzas y se hundió. Armstrong le lanzó un consejo con punta afilada: Contador es el más fuerte, declaró, pero aún tiene que aprender a competir con cabeza para ser el mejor. Él ganó siete Tours, entre otras cosas, porque nunca le pillaron en una emboscada.

En vísperas de la crono por equipos, la situación pintaba tan apasionante como retorcida. Armstrong esperaba vestirse de amarillo y convertirse de nuevo en el patrón del Tour, tres años después de retirarse, en una gesta insólita. Para eso necesitaba sacar más de 40 segundos al Saxo Bank, el equipo del líder Cancellara, y en el empeño le tenía que ayudar el propio Contador con sus relevos. Era el punto ideal para que la historia del Tour se anudara en otro de sus típicos momentos crueles, contra el ciclista que lo había derrotado y que pretendía seguir derrotándolo por encima de toda tradición. Así fue: el Astana ganó la contrarreloj pero sacó exactamente 40 segundos al Saxo Bank. Ante el empate en la clasificación general, los jueces debieron rescatar las centésimas de Armstrong y Cancellara en la etapa prólogo: el tejano tenía 22 centésimas de más y se quedó sin maillot amarillo. Ya no lo vestiría nunca.

El derrocamiento de Armstrong fue discreto. A falta de mayores fuerzas, el estadounidense tramó un juego subterráneo para socavar a su compañero, de una manera parecida a la que lo hizo Hinault con Lemond. Armstrong criticó en público los movimientos en carrera de Contador y lo aisló en los comedores de los hoteles, en las salidas, en las llegadas, en los coches, lo dejó sin apenas apoyo dentro del equipo. Contador calló y dio cuatro golpes no muy llamativos pero eficaces: primero arañó unos segundos en unos Pirineos muy suavizados, luego afirmó su superioridad sin dudas en la subida suiza a Verbier (donde atacó para ganar la etapa y el liderato), aumentó las distancias en otra etapa alpina y en la última contrarreloj, y al final dejó al americano a más de cinco minutos. Sin embargo, Armstrong no parecía tanto derrocado como apartado: en París subió de nuevo al podio, al mismo podio desde el que se había despedido cuatro años antes, en una tercera posición que podía considerarse otra hazaña, pero que él rumió sin ninguna alegría y con otro reto ya entre ceja y ceja. El Tour le dejó creer que podía intentarlo una vez más.

Y en la edición siguiente, en la primera etapa montañosa, Armstrong se desmoronó en un puerto sin renombre: el col de la Ramaz. Es la eterna saña del Tour, que siempre escogió mataderos vulgares para acabar con los campeones, puertecillos sin ninguna historia y que por tanto quedaron consagrados en exclusiva a la memoria de las derrotas: Anquetil en Serrière, Merckx en Pra Loup, Induráin en Les Arcs, Armstrong en Ramaz. Para el campeón americano, que jamás pinchaba en momentos delicados, que jamás se enfermaba, que jamás se caía, aquel día estaba marcado como el del colapso. Nada más comenzar la etapa, se cayó, partió el sillín y tuvo que cambiar de bicicleta. Un poco antes de la ascensión a Ramaz, tocó una acera con el pedal y salió disparado por los aires. Golpeado, abrasado y aturdido, alcanzó al grupo justo en las primeras rampas, pero pagó el sofocón, se descolgó y pasó con un minuto de retraso por la cumbre. Se sintió vacío. Le costaba seguir el ritmo de sus gregarios, la desventaja crecía y, ya sin reflejos, fue incapaz de esquivar otra caída y rodó de nuevo por el asfalto.

En la ascensión a Morzine Avoriaz cumplió su calvario con una estricta sobriedad de gestos: pedaleó, como muy pocas veces, con los ojos ocultos tras gafas oscuras, con la mandíbula prieta y el rostro tenso en una máscara inexpresiva. En los últimos metros, con sesenta ciclistas ya clasificados por delante de él, con doce minutos de retraso, con la derrota irrevocable, se subió la cremallera del maillot para no cruzar la meta con el pecho descubierto, en un gesto un poco torpe y pudoroso, como un cadáver que se hubiera cerrado a sí mismo los párpados.

El Armstrong campeón estaba muerto, pero, antes de que lo enterraran en la historia, se negó a asumir el velorio y siguió peleando. Mientras Contador luchaba con Andy Schleck para derrotarlo por un suspiro, él escogió un escenario de leyenda para intentar una despedida. Se cumplían cien años del primer paso por los Pirineos y los organizadores repitieron el recorrido de aquella etapa por el Círculo de la Muerte en la que nació la leyenda del Tour: Peyresourde, Aspin, Tourmalet, Soulor y Aubisque. En la subida al Tourmalet, Armstrong se metió en una fuga de nueve corredores. Pasó por la cumbre del Aubisque, donde un siglo antes Lapize gritó «¡asesinos!» a los organizadores, en el descenso hasta Pau quiso jugar sus opciones, pero en el esprint final solo consiguió la sexta plaza. «Ya no soy el mejor», reconoció en meta, «pero mantengo el espíritu de lucha».

Según los informes de la Usada, las muestras tomadas a Armstrong en los Tours de 2009 y 2010 indican dopaje por transfusiones sanguíneas.

Armstrong recuerda en sus memorias unas palabras de Hennie Kuiper, el holandés que venció en Alpe d'Huez en 1977 y 1978: «Sufría tanto que miraba a la nieve y la veía negra». Ese sufrimiento sobre la bicicleta le recordaba su agonía en el hospital: «El Tour de Francia es una demostración de supervivencia. Recorrer todo un país subido a la bicicleta, ciudad tras ciudad, bordeando sus costas, subiendo y bajando montañas, exige una tremenda resistencia, muy parecida a la que necesitan todos los días las personas enfermas. El Tour es un festival del sufrimiento humano». Armstrong cimentó su historia en la superación de ese sufrimiento. Y se encargó de construirla así: «Me gusta controlar las situaciones, me gusta ganar, me gusta llevar las cosas hasta el límite».

EL ARTE DE LA DERROTA

El 15 de octubre de 2007, Óscar Pereiro entró a unas oficinas de Madrid vestido con traje. Pasó a un salón, se quitó la americana negra, subió a un pequeño podio metálico, como de carrera de barrio, y se vistió el maillot amarillo que le proclamaba vencedor del Tour de 2006, quince meses después del final de la prueba. Le aplaudieron unos secretarios y posó para las fotos, alzando el trofeo, besándolo, sonriendo y levantando el pulgar de la mano izquierda. Así acabó el Tour de Pereiro: un segundo puesto en el podio de los Campos Elíseos en julio de 2006, un positivo por testosterona del ganador Floyd Landis, quince meses de embrollos judiciales, la sanción definitiva contra Landis, el viaje del director del Tour para que la prueba terminara, por fin, en unas oficinas de Madrid, y Pereiro subiendo el escalón que le faltaba en un podio de paripé, en la sede del Consejo Superior de Deportes español. En las fotos aparece levantando los brazos, vestido con el maillot amarillo reluciente y un pantalón y unos zapatos negros, como un triste centauro entre ciclista y oficinista.

«El Tour más largo de la historia tiene por fin un vencedor», dijo Christian Prudhomme, director de la prueba, durante la ceremonia. Y tuvo que subrayar: «Un campeón tardío pero un campeón verdadero». La veracidad de los campeones estaba tan cuestionada como no ocurría desde un siglo antes, cuando el Tour era una aventura disparatada, plagada de episodios chuscos. Henri Cornet, quinto en la edición de 1904, se enteró en noviembre de que los organizadores habían descalificado a los cuatro primeros por todo tipo de trampas y disturbios –coches que remolcaban a los ciclistas o los llevaban a rebufo, aficionados que invadían la carretera para detener a algunos corredores y dejar pasar a sus favoritos, compinches que sembraban tramos de la ruta con clavos…–. Cornet supo con cuatro meses de retraso que había ganado el Tour. Pereiro batió la marca con holgura: se enteró a los quince meses. Pero no le duró mucho. El 6 de febrero de 2012, la Unión Ciclista Internacional descalificó a Alberto Contador por un positivo con clembuterol en el Tour de 2010 y declaró vencedor a Andy Schleck, dieciocho meses después de llegar a París. «No tengo ningún motivo para sentirme feliz», dijo Schleck.

El siglo XXI cambió el refranero ciclista: si antes el Tour no se ganaba hasta cruzar la última línea de meta en París, ahora no hay manera de saber quién lo ha ganado hasta que se concluye el último contraanálisis o se pronuncia la última sentencia.

Cuando desposeyeron a Armstrong de sus siete triunfos, la organización del Tour y la Unión Ciclista Internacional decidieron dejar el palmarés en blanco entre 1999 y 2005. No otorgaron la victoria a los siguientes clasificados tras el estadounidense, porque su historial tampoco era nada presentable: de los nueve corredores que subieron con Armstrong a los podios en París, ocho acabaron involucrados en casos de dopaje. Zülle confesó que tomaba EPO; Mancebo –podio virtual tras la descalificación de Ullrich en 2005–, el propio Ullrich, Basso y Beloki fueron sancionados o apartados después de que la Guardia Civil identificara bolsas con su sangre durante la Operación Puerto de 2006, en la que se desarticuló una red de dopaje en Madrid; Kloden fue identificado cuando acudía a recibir autotransfusiones a una clínica de Friburgo y canceló el juicio contra él pactando el pago de una multa que no suponía reconocimiento de culpa; Vinokourov dio positivo; Rumsas también, y además fue condenado por tráfico de sustancias dopantes. El único de los nueve que no se vio implicado en escándalos fue Fernando Escartín. Pero su equipo, el Kelme, tenía como médico a Eufemiano Fuentes, el organizador de la red desmantelada por la Operación Puerto, y acabó desapareciendo tras los casos que salpicaron a varios de sus ciclistas y dirigentes.

Tras la era de Armstrong, las clasificaciones del Tour siguieron temblando, desplomándose y reconstruyéndose al cabo de los meses. En la carretera, sin líderes que dominaran un pelotón convulso, se vivieron algunas de las ediciones más rocambolescas de la historia. En 2006 la organización prohibió participar a varios de los favoritos principales, porque sus nombres aparecían en las investigaciones de la recién desencadenada Operación Puerto. Con el pelotón descabezado, justo cincuenta años después de que el desconocido Walkowiak ganara un Tour anárquico, el gallego Óscar Pereiro aprovechó otro vacío de poder semejante: tras perder veintiséis minutos en los Pirineos, se coló en una escapada que nadie quiso controlar, ganó treinta minutos y alcanzó el liderato. Así empezó una montaña rusa insólita. El resucitado Pereiro perdió el maillot en Alpe d'Huez ante Floyd Landis, un antiguo gregario de Armstrong, que parecía ya el favorito más claro. Al día siguiente, Landis se desfondó en la subida a La Toussuire, perdió ocho minutos y, en apariencia, todas las opciones de ganar en París. Y al siguiente, con Pereiro otra vez de amarillo, Landis desató una batalla propia de otro siglo: atacó a 150 kilómetros de meta, asfixió a todo aquel que pretendió seguirle, escaló cinco puertos en solitario, resistió la persecución del grupo sin apenas perder ventaja, llegó a meta con seis minutos sobre Sastre, siete sobre Pereiro, y quedó a un puñado de segundos del liderato. Como era previsible, Landis aprovechó la última crono para vestir el maillot amarillo y llevarlo hasta los Campos Elíseos. Se lo quitaron unos días después, cuando se supo que había cumplido su prodigiosa cabalgada alpina cargado de testosterona, y tardaron quince meses en llevárselo a Pereiro hasta unas oficinas de Madrid.

El maillot amarillo empezó a representar no tanto el liderato como una presunción de inocencia provisional.

En la edición de 2007, cuando solo faltaban cuatro etapas, el danés Michael Rasmussen ganó en la cima del Aubisque y remachó su liderato con una ventaja cómoda ante Alberto Contador, el único que le inquietaba. Esa misma noche, su propio equipo, el Rabobank, anunció que le expulsaba de la carrera. En los últimos meses, Rasmussen se había saltado tres controles sorpresa (con las nuevas normas, los corredores tienen la obligación de estar siempre localizables) y en el último de los casos alegó que había pasado tres semanas entrenándose en México y que por eso no lo pudieron encontrar. Pero algunos testigos lo habían visto en Italia. Según la ley, un ciclista que se saltara un control sorpresa a menos de 45 días de una gran vuelta, no podía participar en ella. La UCI no aplicó la norma a tiempo, pero aquella noche del Aubisque sonaron algunos telefonazos y el propio equipo Rabobank expulsó a su líder. En septiembre se supo que en las muestras de Rasmussen habían aparecido restos de un tipo avanzado de EPO, detectable pero todavía no incluido en las normas antidopaje. Los incumplimientos con los controles bastaron para suspenderle durante dos años. Cuatro años más tarde, Rasmussen reconoció al periódico danés *Ekstra Bladet* que había mentido sobre su paradero, pero que lo hizo para engañar a su mujer: «Quería que ella creyera que yo estaba en México. En realidad estaba en Italia pero no en mi casa del lago de Garda. Los demás detalles son privados. Es asombroso cuántos ciclistas se divorcian al final de sus carreras. Yo me alegro de haber reconducido las cosas», declaró. En 2012, al calor de las confesiones de

Armstrong, dio una rueda de prensa para admitir que se había dopado entre 1998 y 2010.

Tras la expulsión de Rasmussen en pleno Tour de 2007, Contador aguantó el maillot amarillo por los pelos en la última contrarreloj. Evans se quedó a 23 segundos y Leipheimer a 31, en el podio más apretado de la historia del Tour.

A Contador, ese chico de 24 años que soltaba demarrajes eléctricos en la montaña, lo convirtieron en la esperanza para un nuevo ciclismo épico y a la vez limpio. Su primera imagen pública, desde luego, dio pie para una historia conmovedora: a los 21 años era un ciclista novato en la cama de un hospital, con el cráneo recién cerrado por dos placas de titanio y setenta grapas en el cuero cabelludo, que le marcaban una cicatriz en arco de oreja a oreja. Leía *Mi vuelta a la vida*, la biografía de Armstrong.

El 12 de mayo de 2004, en la primera etapa de la Vuelta a Asturias, Contador había sufrido un accidente extraño. Cayó a plomo sobre el asfalto, se le pusieron los ojos en blanco, sufrió convulsiones y el médico de la carrera le salvó de tragarse la lengua y asfixiarse. En el hospital le descubrieron una fractura de pómulo y un coágulo de sangre en el cerebro, que no era consecuencia de la caída sino precisamente su causa: el ciclista tenía un cavernoma, una malformación de una vena, que en un punto crece formando una maraña de vasos sanguíneos, se hincha y puede reventar. La operación en el cerebro, tan peligrosa, salió bien.

En su regreso a la competición, siete meses después, ganó la etapa reina del Tour Down Under, en Australia. Con

22 y 23 años sumó victorias de prestigio en la Semana Catalana, la Vuelta al País Vasco, el Tour de Romandía y la Vuelta a Suiza. Se mostró a lo grande en la París-Niza de 2007, donde se llevó dos etapas y la clasificación final, y se presentó como aspirante al Tour. Quizá todavía era pronto para él, pero en los Alpes y los Pirineos dio un recital de ataques contundentes, puso en aprietos al líder Rasmussen, ganó una etapa y se vistió el maillot blanco al mejor joven. De repente, tras la expulsión de Rasmussen y una contrarreloj dramática contra Evans y Leipheimer, el madrileño se vio de amarillo en el podio de París por un puñado de segundos. Una victoria en semejantes circunstancias dejó un regusto amargo.

Y la esperanza de que Contador liderara la regeneración del ciclismo también se fue manchando. Durante la Operación Puerto, su director Manolo Saiz fue detenido en compañía de los doctores Fuentes y Merino Batres, responsables de la red de dopaje. En vísperas de una concentración del equipo para preparar el Tour, Saiz llevaba encima sustancias dopantes y 60.000 euros, aunque fue absuelto porque entonces en España el dopaje no se consideraba delito. El nombre de Contador apareció en los informes de la Guardia Civil, pero fue llamado solo como testigo y no recibió ninguna imputación.

En cualquier caso, ni siquiera pudo defender su victoria agridulce en el Tour. En la edición de 2008, los organizadores prohibieron la participación de su equipo, el Astana, por «los prejuicios que había causado al Tour de Francia y al ciclismo en general» en los dos últimos años (por la implicación de algunos de sus corredores en la Operación Puerto en 2006 y por los positivos de Vinokourov y Kashechkin durante la edición de 2007, cuando Contador corría en el Discovery).

Sin Contador en la lista de participantes, las clasificaciones finales de 2008 también aparecen plagadas de asteriscos, con nombres de vencedores descalificados y nuevos vencedores que solo recibieron reconocimiento en los despachos, tiempo después. Fue un Tour con pocas emociones ciclistas: apenas la subida de Carlos Sastre a Alpe d'Huez, que le dio la victoria final, y la tensión que vivió con sus compañeros, los hermanos Frank y Andy Schleck, con los que se discutía el liderato del equipo. El mayor espectáculo lo dieron los laboratorios, gracias a su inesperada rapidez para detectar la hormona CERA (una EPO de ultimísima generación) y su eficacia para guillotinar así a varios de los corredores que habían ofrecido las exhibiciones más deslumbrantes. Cayeron Riccardo Riccó, ganador de las primeras dos etapas de montaña, que además vestía el maillot de mejor escalador y el de mejor joven; su compañero de equipo Leonardo Piepoli, vencedor de la siguiente etapa con final en alto; Stefan Schumacher, ganador de las dos contrarrelojes; y el inesperado austriaco Bernhard Kohl, rey de la montaña y tercero en el podio de París.

Los Tours de estos años se salvaron por la belleza de algunas derrotas, mejor cuajadas que muchas victorias. En vísperas de la edición de 2011, los pronósticos reflejaban una enorme desconfianza: ganará Contador por cuarta vez, se decía, pero más tarde resolverán de una vez el juicio abierto por el caso del clembuterol de 2010, será descalificado y enviarán el maillot amarillo por correo al segundo, que será de nuevo Andy Schleck. Sin embargo, tanto Contador como Schleck sufrieron dos derrotas mucho más interesantes que cualquier victoria, condenada de antemano a ser decepcionante.

Durante toda la temporada, los mejores gregarios de Contador fueron sus abogados, que se esforzaban en ganar el caso del clembuterol o, por lo menos, en aplazar al máximo la sentencia y lograr que mientas tanto le permitieran competir. Desde marzo Contador se zampó carreras y más carreras, como si cada una de ellas fuera una última cena en la víspera de la ejecución. Con esas ansias ganó un Giro de Italia de una dureza terrible y llegó al Tour, con permiso para salir pero con polémica sobre su participación y con las piernas demasiado cargadas. En las primeras etapas sufrió caídas, perdió tiempo, se mostró débil en los Pirineos. Sin embargo, dio algún zarpazo en pequeñas cotas y eso le bastó para alimentar el temor de Andy y Frank Schleck.

Los hermanos luxemburgueses, sobrados de talento y fuerza, siempre fueron ciclistas pusilánimes. Corrían con tácticas muy conservadoras, no tomaban riesgos, y aunque en 2011 Contador parecía más vulnerable que nunca, solo le atacaron en los últimos metros de las etapas pirenaicas para robarle apenas unos segundos. Temían que el español, tras un año saturado, solo estuviera reservando fuerzas para asestar un golpe demoledor en el momento preciso.

Hasta que Andy Schleck hizo, por fin, un gesto alpino por el que merece ser recordado: atacó en el Izoard, a 60 kilómetros de meta, atravesó la Casse Deserte, donde los campeones pasan escapados, alcanzó cinco minutos de ventaja, aceptó el riesgo casi suicida de pedalear en solitario por el largo y ventoso valle que sube al col del Lautaret y perdió gran parte de su renta en la ascensión final al Galibier, donde estaba la meta, donde precisamente se celebraban los cien años del primer paso del Tour por este puerto. En 1911 todos los corredores se bajaron de la bicicleta para superar el Galibier a pie. En 2011 Schleck entendió allí que a veces la gloria del Tour no se juega tanto en la clasificación como en la capacidad de responder a las exigencias históricas. Ganó con solo dos minutos y le quedó una ventaja escasa sobre Cadel Evans, que acabó arrebatándole el Tour en la crono final, como era previsible. El triunfo insuficiente de Schleck en los Alpes acabó, por tanto, en derrota. Pero con esa derrota grabó la primera muesca épica en su carrera.

Y quizá se preparó así para victorias futuras, quizá aprendió que el miedo lo había paralizado mucho tiempo y que por esa cautela excesiva otro ciclista le había ganado el Tour. En 2011 Andy y Frank derrotaron por fin a su gran rival Contador, pero cuando subieron juntos al podio en París –los primeros hermanos que lo conseguían–, se miraron el uno al otro y descubrieron que en medio se les había colado Evans con el maillot amarillo. Quizá lo hubieran batido con una agresividad mayor en las montañas, si hubieran temido menos a Contador.

Al madrileño lo reventaron en el Galibier, donde perdió casi cinco minutos y el Tour. Pero su respuesta, que también acabó en derrota, resultó más memorable que casi todas sus victorias: al día siguiente, nada más comenzar la etapa, atacó en el primer repecho del col del Télégraphe, a 94 kilómetros de la meta, y al ver que le seguían cuatro corredores –los dos hermanos Schleck, Evans y Voeckler–, dio varios acelerones más hasta que solo Andy Schleck resistió a su rueda. La única esperanza de Contador consistía en una debacle total de sus rivales y se lanzó a un ataque loco, remoto, desesperado. Coronó con su pedaleo airoso el mismo Galibier que la víspera, por la otra vertiente, le había quebrado las piernas. Puso el Tour en ebullición. El largo tramo hasta el pie de Alpe d'Huez era perfecto para que el grupo, reorganizado detrás por los gregarios de Evans y Voeckler, organizara una locomotora y acabara con la aventura de Contador. Así fue. Pero él prosiguió su empeño contra toda posibilidad y volvió a atacar en Alpe d'Huez, con más corazón que piernas, para al menos ganar la etapa. Iba camino de lograrlo pero en la parte final se desfondó y fue superado por el joven Pierre Rolland.

Contador perdió el Tour de 2011 y, cuando más tarde lo condenaron por el caso del clembutrcol, también el de 2010. La victoria se fue por el desagüe. De la derrota quedó mejor recuerdo.

Tras la confesión de Armstrong en enero de 2013, pareció que estaba cambiando la mayor fama a la que aspiraban algunos ciclistas: ya no era tan memorable ganar un Tour como firmar después una confesión grandiosa. Algún exciclista incluso ofreció confesiones –o no– a cambio de un millón de euros. Oscar Pereiro habló así en una emisora de radio: «No hay ninguna prueba de que yo me haya dopado. El día en que me paguen un millón de euros, como pagan a muchos, diré sí o no. No tengo por qué contestar a esa pregunta. Yo no me voy a exponer, voy a decir solo sí o no, pero con el dinero».

En estos años de triunfos dudosos y de credibilidad subastada, el belga Wim Vansevenant cultivó con más esmero que nadie el arte de la derrota. Nunca se vistió el maillot amarillo, nunca ganó una carrera en sus diez temporadas como profesional, pero durante tres Tours consecutivos le fotografiaron sosteniendo la *lanterne rouge*, el símbolo del último clasificado: el farolillo rojo que antaño se colgaba al final de los trenes, para que los jefes de estación confirmaran que por el trayecto no se había desenganchado ningún vagón. Vansevenant quedó último en el Tour de 2008 (a 3h 55m; es decir: como si hubiera pedaleado una etapa más que el vencedor Sastre), también en 2007 (a 3h 52m) y en 2006 (a 4h 01m); además fue penúltimo en 2005 (a 4h 09m) y octavo por la cola en 2004 (a 3h 22m). Participó en esos cinco Tours y mantuvo, por tanto, una regularidad notable.

Las cualidades de Vansevenant no le permitían escalar puertos con los mejores ni esprintar con los más veloces ni rodar tan fuerte como los contrarrelojistas, ni siquiera participar en esas escapadas maratonianas en las que los secundarios se despellejan para conseguir un bingo que les cambie la vida. Vansevenant se dedicaba a otra cosa: ayudar al jefe. Y en eso era un fuera de serie. Año tras año, su líder Cadel Evans lo quería en el grupo selecto que le ayudaba en sus intentos de ganar el Tour.

Todos los líderes necesitan a varios Vansevenant que se desgasten por ellos en los lances menores de la carrera. En las etapas llanas, cuando el jefe marcha en una posición retrasada del pelotón y decide, por si acaso, subir a la parte delantera, puede hacer dos cosas: salirse a un costado del grupo y avanzar contra el viento, gastando fuerzas, o llamar a Vansevenant para que el viento se lo coma él. Vansevenant sale por un costado del pelotón, con el líder protegido a su rueda, y avanza hasta alcanzar las posiciones de cabeza. Así el líder se ahorra un gramo de esfuerzo que luego lucirá en los momentos decisivos de la carrera. En los finales veloces y angustiosos Vansevenant también debe jugarse el tipo en curvas y rotondas, debe meter el manillar en una jungla de manillares, ruedas y muslos, en una locura de bandazos, frenazos, gritos y pulsaciones a mil, para que el jefe pase los obstáculos sin apuros y en cabeza, no sea que una caída le deje cortado y pierda un tiempo precioso. Cuando el jefe y los compañeros tienen sed, Vansevenant deja de pedalear, se descuelga del pelotón hasta que le alcance el coche del equipo, carga ocho bidones de agua fresca en los bolsillos del maillot y en el cogote, pedalea de nuevo para adelantar a todo el pelotón y reparte la bebida entre los compañeros. Al día siguiente le tocará ponerse en cabeza y tirar a por una escapada peligrosa o marcar un ritmo fuerte para evitar las tentaciones de quienes planean fugarse. La misión de Vansevenant acabará al pie del puerto, reventado, y ya solo le quedará sufrir descolgado hasta la meta. Y todavía peor si el líder pincha en algún momento crucial de la carrera. Si Vansevenant anda por allí, frena, le da su rueda, lo monta en la bici y corre a pie para empujarle en la arrancada. Luego espera a que llegue la asistencia con una rueda para él y pedalea a muerte para no llegar fuera de control y salir al día siguiente a currar de nuevo.

Una etapa del Tour es un enorme y complicado andamio que todos los días montan docenas de obreros a pedales como Vansevenant, compitiendo o colaborando entre ellos, para que en el último momento los líderes trepen corriendo hasta lo más alto. Entre el anonimato de todos ellos, este belga obtuvo cierta relevancia gracias a los tres farolillos rojos consecutivos: una marca histórica.

El prestigio del último es un fenómeno antiguo. De los ciclistas que corrieron el primer Tour en 1903, la historia recuerda a un puñado de los mejores −Garin, Pothier, Aucoutourier... − y a Arsène Millocheau, que fue el peor con 65 horas de retraso, casi un Tour entero de desventaja. A los pocos meses de que Vansevenant obtuviera su primer farolillo, en Italia murió con 86 años Luigi Malabrocca, el modesto pero famoso *maglia nera*. Entre 1946 y 1951, el Giro de Italia otorgó al último clasificado un maillot negro y un premio en metálico, que desató batallas pícaras entre algunos ciclistas de aquella Italia hambreada de la posguerra. Malabrocca fue un especialista del escondite: se ocultaba en los bosques, en los graneros, en los bares, mientras el pelotón volaba hasta la meta. Cuenta el periodista Marco Pastonesi que un campesino de los Dolomitas vio una figura extraña rondando su granja, salió a investigar, se asomó al aljibe y encontró dentro a Malabrocca. «¿Qué haces ahí?». «Estoy corriendo el Giro de Italia».

La especialidad exigía discreción y capacidad de cálculo, y por ahí se le escapó el maillot negro de 1949. Llegó a la última etapa con dos horas de ventaja sobre Sante Carollo, su eterno rival en estas tretas, y durante la carrera se bajó de la bici y se metió en un bar. Según Pastonesi, Malabrocca tomó un trago y luego aceptó la invitación de un admirador, que quiso contribuir al triunfo de su ídolo llevándoselo a casa para enseñarle su equipo de pesca. Al fin salió de la casa, pedaleó con placidez hasta Milán… pero en la meta ya no quedaban jueces ni cronometradores. Malabrocca corrió a buscarlos por la ciudad para avisarles de su llegada. En aquellos tiempos no se aplicaba el fuera de control y los jueces decidieron otorgarle el mismo tiempo del último grupo que había llegado a la meta. Así que no consiguió perder el tiempo suficiente y se quedó sin premio. Malabrocca, que no era un mal corredor (ganó quince pruebas como profesional, incluidos dos campeonatos de Italia de ciclocrós), lució en su palmarés los maillots negros de 1946 y 1947 y además inspiró una obra de teatro estrenada en 2009.

A los dirigentes del Tour no les hacía ninguna gracia la repercusión que obtenían algunos farolillos rojos, porque propiciaba escenas ridículas entre los ciclistas que remoloneaban para obtener el título. El austriaco Gerhard Schoenbacher terminó último el Tour de 1979 y ese invierno el patrocinador de su equipo le prometió una prima si conseguía otra vez el farolillo. Así que en 1980 se vivió una lucha (o mejor: una descarada ausencia de lucha) entre Schoenbacher y Philippe Tesnière, farolillo de 1978, a la que los periodistas dedicaron crónicas y entrevistas jocosas.

Los organizadores, mosqueados con aquellos ciclistas que se empeñaban en acumular retrasos, inventaron una norma en mitad del Tour: entre la decimocuarta y la vigésima etapa (ese año había veintidós), al final de cada jornada eliminarían al último de la clasificación general. Schoenbacher se apañó para remontar uno o dos puestos todos los días, esquivar la guadaña, perder tiempo en las dos etapas finales y acabar último de nuevo. La historia acabó torcida: el mismo día de la llegada a París, Schoenbacher recordó el asunto de la prima, su director deportivo le dijo que no había nada de eso, tuvieron una bronca y Schoenbacher acabó despedido del equipo.

Vansevenant no llegó a cobrar primas ni a esconderse en los bares. Tenía la amenaza del fuera de control y las obligaciones permanentes de trabajar para su jefe, pero en el Tour de 2008 no perdía de vista la clasificación y vigilaba para que sus rivales del fondo de la tabla no cedieran demasiado tiempo. «Es capaz de ponerse en cabeza y tirar del pelotón cuando hace falta», dijo su director Marc Sergeant, «y luego tiene la experiencia necesaria para saber que debe relajarse y llegar a meta con el menor cansancio posible, para trabajar de nuevo en la etapa siguiente. Por eso, su empeño por quedar el último no es un problema, porque cumple siempre con su trabajo. Si Evans ha estado cerca de ganar este Tour [le faltaron 58 segundos para derrotar a Sastre], es también gracias a él».

Vansevenant fue último desde la tercera etapa hasta la decimonovena, día tras día, mientras otros muchos se retiraban. «No le doy importancia», declaró al final de la decimoctava. «Tengo mucho trabajo ayudando a Evans como para preocuparme por el farolillo rojo. Llevo un par de días sin mirar la clasificación». Sin embargo, sus compañeros de equipo contaban otra historia: «Hace unos días le gastamos una broma», dijo Mario Aerts. «Le engañamos diciéndole que Mathieu Sprick había acabado dieciocho minutos por detrás de él. Dijo que le daba igual la última plaza, pero se puso muy nervioso hasta que comprobó la clasificación».

En la decimonovena etapa, Vansevenant terminó de arropar a Evans, lo dejó bien situado en un pelotón que ya lanzaba el esprint y un poco antes del último kilómetro se dejó llevar. Cedió un minutillo, como para reforzar testimonialmente su desventaja. Sin embargo, se le despistó un rival inesperado, el austriaco Bernhard Eisel, que venía mucho más atrás con un grupo de nueve náufragos. Vansevenant no contaba con él, porque le llevaba trece minutos de ventaja en la clasificación, pero ese día Eisel perdió casi catorce y de pronto, cuando solo quedaba un suspiro para llegar a París, le arrebató el farolillo rojo por apenas 42 segundos. En la contrarreloj de la penúltima jornada, en un duelo de nervios por dejarse el máximo tiempo posible pero sin quedar fuera de control, Eisel perdió nueve minutos en 53 kilómetros y el veterano y calculador Vansevenant… diez y medio. Ya acariciaba su tercer farolillo rojo, algo que nadie había logrado jamás, por un margen de solo 53 segundos.

En la última vuelta por los Campos Elíseos, el pelotón voló. Hubo ataques de último momento, los equipos de los velocistas funcionaron como locomotoras para cazar a los aventureros, se lanzó el esprint por la victoria tan prestigiosa en París, Steegmans dio el último golpe de riñón y levantó los brazos, levantaron los brazos Sastre y sus compañeros, los demás ciclistas se estrecharon las manos, se abrazaron, se felicitaron después de dar la vuelta a Francia hombro con hombro durante 3.558 kilómetros. Y un minuto más tarde aparecieron en la última curva dos ciclistas descolgados, que pedaleaban parsimoniosos y recibían los aplausos del público con una sonrisa irónica: Eisel y Vansevenant, en las posiciones 138 y 139. Eisel había dejado de pedalear a falta de un par de kilómetros y había tratado de rezagarse con disimulo. Pero Vansevenant le aplicó un marcaje fiero y se descolgó junto a él. Eisel se resignó, sonrió, le dio una palmadita en el hombro a Vansevenant y pedalearon juntos, de paseo hasta la meta.

En la salida de esa última etapa, Vansevenant había lanzado ante los periodistas una broma que en el fondo escondía una advertencia:

—Se lo he dicho a Eisel. Estoy dispuesto a hacer una carrera de caracoles en los Campos Elíseos.

Y así, pedaleando lo más despacio posible, consiguió su mayor victoria.

EPÍLOGO:
ASÍ DEJÉ EL CICLISMO

La primera conciencia de la propia vejez la tuve con 20 años, cuando dejé el ciclismo de competición. Pensé: nunca más subiré desde el cruce de Erregenea hasta Polipaso en dieciséis minutos.

En realidad, al quitarme el dorsal suspiré de alivio. Mi última temporada consistió básicamente en ver culos, muchos culos por delante de mí. Lo máximo de lo que puedo presumir es de haber visto de cerca culos de ciclistas que luego fueron famosos, de haber sido gregario de Roberto Heras un par de veces –ganó en ambas: Lesaka y Ororbia–, de haber visto mi nombre algún día casi al final de la primera página de la clasificación y, sobre todo, de haberme retirado en una carrera porque no soportaba un descenso. La subida la aguanté sin problemas, ya que apenas necesitaba sentarme en el sillín, pero la bajada... probad a bajar un puerto sin sentaros. No sabéis qué verano pasé, el verano de las pomadas y de los andares de John Wayne, con el perineo irritado y descamado como el culo de un macaco.

Pero el último kilómetro de mi última carrera fue memorable. Antes, a mitad de recorrido, una escapada con corredores de muchos equipos voló a por la victoria. Tomaron muchos minutos de ventaja, en el pelotón nadie quería tirar y nos quedamos todos muy conformes: así pudimos escalar de manera amistosa las rampas de Elgueta, el último puerto de mi historial, coronado sin ningún sufrimiento. Pedaleábamos tan relajados al sol, que yo me hice el graciosillo y el sobrado, y empecé a tararear «Verano azul». Me pareció muy acertado, ingenioso y cómplice. Luego, en meta, entre los coches de los equipos, oí que un ciclista le decía a otro: «¿No has oído a un gilipollas cantando en Elgueta?».

La cosa es que bajamos Elgueta, entramos en las calles de Bergara pedaleando relajados, y en el último kilómetro atacó el habitual bobo que ve la oportunidad de rematar el año con un 34º puesto. Esas impudicias sientan muy mal en el pelotón. Alguien le insultó, alguien más gritó «¡a por él!» y nos lanzamos en su persecución. Terminé mi carrera ciclista dando relevos a muerte para cazar a un idiota. Mejor aún: cuando ya lo teníamos a veinte metros, el que se apartaba del relevo le tiró un bidón. A muchos les pareció una idea fantástica y empezaron a lanzar bidones y más bidones por los aires, mientras perseguíamos al imbécil a 50 km/h por las calles de Bergara. Y así entramos en meta, cuando el ganador ya recibía las flores, insultando a un tonto y esprintando bajo una lluvia de botellines, para consternación de los espectadores y cabreo de los jueces, que amenazaron con sanciones y apuntaron dorsales. Total, yo no me puse uno nunca más.

Ese final estrafalario mitigó otras escenas tristes de aquel año, incluso las acabó enmarcando en un cuadro general de simpáticas derrotas. Aunque maldita la gracia que me hacían en el momento, como cuando escuché el comentario cruel de una espectadora, durante mi paso solitario y descolgado por un pueblo de la Ribera navarra. ¿La gente cree que los ciclistas no oyen?

Aquel día soplaba un vendaval, costaba mantenerse sobre la bici, y en el kilómetro 10 una ráfaga tiró a medio pelotón. Yo no me caí pero quedé atrapado en la montonera. Me bajé, salí andando al sembrado, troté con la bici en la mano, volví al asfalto, salté al sillín y me encontré solo, solísimo, con el pelotón cabecero en el horizonte, pero muy en el horizonte, casi al final de Arizona.

Contra aquel viento no se podía pedalear en solitario. La carretera era llana pero yo no movía más que un 39×18, una multiplicación para escalar puertos, y apenas pasaba de los 20 km/h. Así llegué, mal que mal, hasta un pueblo que apareció en la llanura como una colonia en Marte. Pasé solo, fané y descangallado. Ya se les habían acabado los aplausos. Y, al verme, una madre le dijo a su hijo, un chavalín vestido de ciclista:

—Si vas a andar como éste, tú mejor ni salgas, ¿eh?

Más gracia me hicieron los ánimos de una señora, asomada a la ventana de un caserío, que también me vio pasar en solitario, descolgado, bajo un chaparrón, subiendo el puerto de Ubal, en Carranza.

—¿Cuánto falta hasta arriba? —le grité.

—¡Solo un kilómetro! ¡Pero justo ahí se retiró Induráin!

Sin embargo, en aquel año de miserias conseguí una hazaña de la que muy pocos ciclistas pueden presumir. Fue en la carrera de Vitoria, donde yo tenía clarísima mi táctica. Dado que llevaba todo junio haciendo exámenes de Periodismo y apenas me había entrenado, dado que en el kilómetro 30 subíamos un puerto en el que inevitablemente me iba a descolgar, dado que los jueces nos eliminaban en cuanto perdíamos unos pocos minutos, para así dejar la carretera libre al tráfico, si quería durar más de una hora en carrera solo me quedaba una opción: atacar de salida. Atacar, a ser posible con un poco de compañía, llegar a pie de puerto con ventaja, intentar que el pelotón me alcanzara lo más tarde posible y después ya iríamos viendo.

Salimos del centro de Vitoria. Recorrimos las calles mansamente, detrás del coche del juez de carrera, y enseguida llegamos a las rotondas y las avenidas exteriores de la ciudad, para enfilar hacia las montañas. Era el momento: arranqué como una centella por un costado del pelotón, metí la cabeza en el manillar y esprinté como si la meta estuviera no a 150 kilómetros sino a 150 metros. Me abuchearon. Bastante fuerte.

Me gritaron, me insultaron, y me pareció justo. Yo estaba haciendo el papel del odioso tocapelotas, casi siempre un fantasma y un incapaz, que se pone a jugar a ciclista en el primer kilómetro porque no vale para hacer nada meritorio en ningún otro momento de la carrera.

Lo que ya me sorprendió es que me hiciera reproches el juez de carrera. Pasó su coche a mi lado y me gritaron desde la ventanilla:

—¡Tú! ¡Adónde vas!

«Hasta meta», pensé, sintiéndome Hugo Koblet en la etapa Brive-Agen del Tour del 51, cuando se fugó en una tachuela de tercera a falta de 140 kilómetros en una etapa sin relieve, ignoró la bronca de su director por aquella estupidez y resistió la persecución feroz del grupo hasta ganar la etapa con dos minutillos y una sonrisa muy cabrona. Al llegar a meta, Koblet sacó un peine que solía llevar en el bolsillo trasero del maillot y se puso guapo. Años después se supo que esa mañana se había metido un supositorio de cocaína para adormilar las punzadas de un forúnculo, treta que por desgracia yo ignoraba aquel día en que me retiré en el descenso del perineo, que eso sí que era una cordillera.

Total, que adónde iba. Hasta meta no, claro, pero hasta el pie del puerto sí, hombre, por qué no. Giré la cabeza y vi que se me acercaba otro ciclista. Bien, juntos lo íbamos a tener más fácil. Además, pronto distinguí que era Iñaki, un amigo que corría en un equipo distinto. Pero no venía a acompañarme en la fuga, sino a darme un aviso terrible de parte del pelotón:

—¡Oye, para, que todavía estamos en la salida neutralizada!

Yo no había visto ningún banderazo del juez, es cierto, pero es que en las calles de Vitoria iba en medio del pelotón y al salir de la ciudad a carretera abierta supuse que ya lo habría dado. Pero no. La carrera no había empezado aún.

Esperé al pelotón con las orejas plegadas. Me llamaron de todo menos Koblet. El juez dio por fin el maldito banderazo y volví a arrancar por un costado, sobre todo para escapar de mi propia vergüenza. Ocho o diez tíos saltaron a por mí con el colmillo goteando. Parón. Volví a atacar. Volvieron a por mí. Acepté la condena, me dejé hundir como un plomo hacia el fondo del pelotón y allí me quedé, hasta que llegó el puerto, perdí dos minutos, luego tres, luego cuatro, los jueces me eliminaron en el kilómetro 45 y tuve que volver solo hasta Vitoria, sin tener ni siquiera un peine en el maillot.

BIBLIOGRAFÍA

ARRIBAS, Carlos, LÓPEZ-EGEA, Sergi, y PERNAU, Gabriel, *Locos por el Tour*, RBA, Barcelona, 2003.

FRALON, José-Alain, «Grandes duelos del Tour», *El País*, 30 de junio-6 de julio de 2003.

GARCÍA SÁNCHEZ, Javier, *Induráin. Una pasión templada*, Plaza & Janés, Barcelona, 1997.

JENKINS, Sally, y ARMSTRONG, Lance *Mi vuelta a la vida*, Punto de Lectura, 2003.

JENKINS, Sally, y ARMSTRONG, Lance. *Vivir cada segundo*, RBA, Barcelona, 2004.

LANG, Serge, *Le grand livre du Tour de France*, Calmann-Lévy, 1980.

PELISSIER Pierre, *La légende de Jacques Anquetil*, Rageot-Éditeur, París, 1997.

QUÉNET Jean-François, *La grande histoire du Tour de France*, L'Équipe, Boulogne-Billancourt, 2010.

QUIQUERE, Henri, DÍAZ, José Antonio, BENITO URRABURU, José Luis, y VIRIBAY, Ángel, *La gran historia del Tour de Francia*, Dorleta, Bilbao, 1993.

REDONDO, Julián, y DELGADO, Pedro, *A golpe de pedal*, El País Aguilar, Madrid, 1995.

RUIZ CABESTANY, Pello, *Historias de un ciclista*, Pamiela, Pamplona, 1997.

VICENTE, José Carlos, «Zaaf, el dinamitero que llegó de África», Ciclismo a Fondo, n° 115, agosto de 1994.

WALSH, David, «Lethal Ambition», *The Sunday Times*, 4 de julio de 1999.

LOS MERCADERES DEL CHE
GRANDES HISTORIAS DE PERSONAJES MINÚSCULOS
Álex Ayala

«Álex Ayala es uno de los cronistas más originales y agudos que hay hoy en América Latina. Ha escogido Bolivia como base de operaciones y allí se ha convertido en un detective ameno y audaz de la condición humana. En este singular libro, gracias a su mirada, volvemos a descubrir que el mundo pequeño también es grande. *Los mercaderes del Che* es un deleite».

Jon Lee Anderson,
periodista de *The New Yorker*.

«¿Por qué unos reos se quedarían a custodiar su propia cárcel? ¿Cuánto de ideología puede haber en un traje? ¿Es un buen negocio haber conocido al Che? ¿Por qué unos aficionados se animarían a secuestrar a su propio equipo de fútbol? ¿Por qué unos viejitos de La Habana vigilan una estatua de John Lennon? ¿Quién es el último rey negro?

Estas son algunas de las preguntas que obsesionaron en su día al periodista Álex Ayala. Un total de 13 interrogantes aparentemente anecdóticos que se convierten en una excusa para hablar de temas tan universales como el poder, las ansias de libertad o la dignidad humana».

J. Losa, *Público*.